成长文库
·世界儿童文学经典·

小 王 子

·拼音美绘本·

（法）圣·埃克苏佩里　原著
刘建华　改写

北京少年儿童出版社

图书在版编目(CIP)数据

小王子 / (法) 圣·埃克苏佩里(Exupery, S.)原著;刘建华改写. —北京:北京少年儿童出版社,2008.5

(成长文库.世界儿童文学经典:拼音美绘本)

ISBN 978 - 7 - 5301 - 2136 - 8

Ⅰ.小… Ⅱ.①圣… ②刘… Ⅲ.汉语拼音—儿童读物 Ⅳ. H125.4

中国版本图书馆 CIP 数据核字(2008)第 033259 号

成长文库
世界儿童文学经典(拼音美绘本)
小王子
XIAO WANGZI
(法)圣·埃克苏佩里　原著
刘建华　改写

*

北 京 少 年 儿 童 出 版 社 出 版
(北京北三环中路 6 号)
邮政编码:100011

网　　址:www.bph.com.cn
北 京 出 版 社 出 版 集 团 总 发 行
新 华 书 店 经 销
北京市雅迪彩色印刷有限公司印刷

*

787×1092　16 开本　10 印张　40 千字
2008 年 5 月第 1 版　2008 年 10 月第 2 次印刷
印数 20 001—35 000
ISBN 978 - 7 - 5301 - 2136 - 8/I·767
定价:15.80 元
质量监督电话:010 - 58572393

序

一本好书，就是一轮太阳

曹文轩

　　世界上的经典作品，都是沉甸甸的，它们是经过岁月磨砺而沉淀下来的作品，是经过时间检验而存留下来的作品。大浪淘沙，江水滔滔，留下来的就是闪闪发光的金子。当我们面对这个世界的书山书海，当我们走进眼花缭乱而又令人喘不过气来的书店的时候，我们会有一点迷茫，会有一点忧伤。我们也许会有一点点惊讶：这个世界的书真是太多太多了。但当我们冷静下来的时候，另一个声音会告诉我们：这个世界的好书的确是太少太少了。

　　任何一个没有阅读经验的人，都不会懂得多与少的辩证关系。任何一个没有鉴赏能力的人，都不会懂得该如何去选择最好的书。但一个基本的常识会帮助我们按图索骥，去寻找到我们所需要的和最好的书籍。那就是去阅读经典。这是最可靠的最实用的阅读经验。而经验，则是一代一代人智慧和心血的结晶。这些质地高贵的经典，传承的就是我们人类宝贵的经验。

　　一个良好的阅读习惯，会让人终身受益。但我们必须承认读书人与不读书人就是不一样，这从气质上便可看出。读书人的气质是读书人的气质，这气质是由连绵不断的阅读潜移默化成就的。有些人，就造物主创造了他们这些毛坯而言，是毫无魅力的，甚至是丑的，然而，读书生涯居然使他们获得了新生。依然还是从前的身材与面孔，却有了一种比身材、面孔贵重得多的叫"气质"的东西。读书不仅可以培养人良好的气质，而且也能让人长精神。一个人活在这个世界上，靠的就是精、气、神的支撑。而那些好书就是源源不断提供精、气、神营养的所在。

　　读书是我们生命中不可或缺的令人心旷神怡的部分。我们在书的世界中流连，在书的世界中陶醉，在书的世界中静听自己生长的拔节声。书还给了我们抚慰，给了我们安宁。我们在与书的对话中释放了学习压力、生活压力所带来的忧郁与苦闷。书成了我们的良师益友，成了可以与之窃窃私语的知音。在阅读中，我们获得了更多关于这个世界的精义、神髓与真谛。

　　一本好书，就是一轮太阳。一千本好书，就是一千轮太阳。灿烂千阳，会照亮我们前进的方向，也会让这个世界所有的秘密在我们面前一览无余地展开。

目录

MULU

dì yī zhāng
第一章

记得六岁的时候，我看过一本书，那是一本描写原始森林的书，书名叫做《真实的故事》。我在那本书里看到了一幅精彩的插图，画的是一条大蟒蛇正在吞食一头野兽。把它画下来就是下面这个样子：

那本书里这样写道："蟒蛇从来不去咬碎它的猎物，而是把猎物整个吞下去，巨大的猎物撑得它一动也不能动。接着，他们会睡上六个月的时间，在睡眠中消

huà dù zi li de shí wù
化肚子里的食物。"

nà shí hou　rè dài yǔ lín de chuán qí gù shi shēn shēn de　xī yǐn zhe wǒ　shǐ
那时候,热带雨林的传奇故事深深地吸引着我,使

wǒ chǎn shēng hěn duō xiá xiǎng　yú shì wǒ yě ná qǐ cǎi sè qiān bǐ　huà chū le wǒ
我产生很多遐想。于是,我也拿起彩色铅笔,画出了我

de dì yī zhāng huà　wǒ de　zuò pǐn yī hào　shì zhè gè yàng zi de
的第一张画。我的"作品一号"是这个样子的:

wǒ hěn xīn shǎng zì jǐ de zuò pǐn　bǎ tā ná gěi dà rén men kàn　wǒ hái wèn
我很欣赏自己的作品,把它拿给大人们看,我还问

dà rén men　kàn dào wǒ de huà nǐ jué de hài pà ma
大人们:"看到我的画你觉得害怕吗?"

dà rén men jué de hěn qí guài　tā men wèn wǒ　yì dǐng mào zi yǒu shén me kě
大人们觉得很奇怪,他们问我:"一顶帽子有什么可

pà de
怕的?"

kě shì　wǒ huà de gēn běn bú shì yì dǐng mào zi　ér shì yì tiáo dà mǎng shé
可是,我画的根本不是一顶帽子,而是一条大蟒蛇,

yì tiáo tūn diào le yì tóu dà xiàng de dà mǎng shé　wèi le ràng dà rén men míng bai zhè
一条吞掉了一头大象的大蟒蛇。为了让大人们明白这

yì diǎn　wǒ zhǐ hǎo yòu bǎ dà mǎng shé dù zi li de qíng xíng huà le chū lai　ài
一点,我只好又把大蟒蛇肚子里的情形画了出来。唉!

dà rén men zǒng shì zhè yàng　shén me dōu nòng bù míng bai　hái yào hái zi gěi tā men jiě
大人们总是这样,什么都弄不明白,还要孩子给他们解

shì
释。

wǒ de　zuò pǐn èr hào　shì zhè yàng de
我的"作品二号"是这样的:

看了这幅画，大人们对我说：还是把那些蟒蛇丢在一边吧，不要管它们是剖开肚皮的还是合拢肚皮的，都不要画了，赶快把精力放在地理、历史、算术或者语法上。

就这样，在六岁那年，我迫不得已放弃了当画家的美好梦想。我的"作品一号"和"作品二号"都不成功，这使我灰心丧气。更让我丧气的是，这些大人们总是什么也弄不明白，还得要小孩子给他们翻来覆去地作解释，真是烦死人了。

当画家的梦想破灭以后，我只好选择了另外一个职业，那就是开飞机。我驾驶飞机几乎飞遍了整个世界，在飞行的过程当中，地理知识可真帮了我很大的忙。在飞机的驾驶舱里，我一眼就能区分开来中国和美国的亚利桑那州。要知道，如果夜里迷失了航向，地理知识对我们是非常有帮助的。

在飞往世界各地的生活中，我跟许多成年人打过交道，接触到许多严肃认真的人，我有机会仔仔细细地观察他们，但是，这些并没有怎么改变我对成年人的看法。

每当我遇到一个看起来稍微聪明一点儿的大人时，我就拿出一直保存着的我的"作品一号"来给他看，我想用这个方法检验他是否真的具有理解能力。可是，我得到的都是这样的回答："这是一顶帽子。"这样一来，我肯定不能和他们谈什么巨蟒呀、原始森林呀或者星星之类的事情，因为他们根本听不懂。我只好和他们谈桥牌呀、高尔夫球呀、政治呀或者领带什么的。没想到的是，这样一来，大人们反而非常高兴，夸奖我是一个既聪明又讲礼貌的人。

dì èr zhāng
第二章

bù zhī dào nǐ néng bu néng míng bai shén me jiào zuò gū dú　　wǒ jiù shì zhè yàng
不知道你能不能 明白什么叫做孤独，我就是这样

gū dú de shēng huó zhe　méi yǒu yí gè rén zhēn zhèng gēn wǒ tán de lái　zhè zhǒng zhuàng
孤独地生活着，没有一个人真 正跟我谈得来，这种 状

kuàng yì zhí yán xù dào liù nián qián cái suàn jié shù
况一直延续到六年前才算结束。

liù nián qián　wǒ de fēi jī zài sā hā lā shā mò shàng kōng fā shēng le gù
六年前，我的飞机在撒哈拉沙漠上空发生了故

zhàng　fēi jī fā dòng jī li yǒu gè dōng xi sǔn huài le　　dāng shí　wǒ jì méi yǒu dài
障，飞机发动机里有个东西损坏了。当时，我既没有带

jī xiè shī yě méi yǒu dài lǚ kè　méi yǒu rén néng bāng zhù wǒ　yīn cǐ　wǒ zhǐ hǎo shì
机械师也没有带旅客，没有人能 帮助我，因此，我只好试

zhe dú zì wán chéng zhè gè jiān nán de xiū lǐ gōng zuò　　duì wǒ lái shuō　tíng liú zài
着独自完成 这个艰难的修理工作。对我来说，停留在

dà shā mò shang dí què shì fēi cháng wēi xiǎn de shì qing　　yīn wèi wǒ suí shēn dài de shuǐ
大沙漠上的确是非常危险的事情，因为我随身带的水

zhǐ gòu hē bā tiān de
只够喝八天的。

5

第一天夜晚，我独自一个人睡在这荒无人烟的大沙漠上。我感觉自己比漂泊在汪洋大海上的遇难者还要孤独得多。奇怪的事情发生在第二天黎明，那时候我还在昏昏沉沉的睡梦中，突然有一个奇怪的小小的声音把我叫醒了。你们可以想象，我当时有多么吃惊！这个小小的声音说：

"劳驾……能给我画一只绵羊吗？"

"啊？"

"请你，给我画一只绵羊，好吗？"

这个小小的声音在我听来，好像一声惊雷，我一下子就从沙漠上爬了起来。使劲地揉了揉眼睛，仔仔细细地打量眼前这个小家伙。

这是一个非常奇怪的小人儿，他正在严肃认真地望着

wǒ zhè lǐ yǒu yì zhāng wǒ hòu lái gěi tā huà de huà xiàng zhè shì wǒ huà de zuì hǎo
我。这里有一张我后来给他画的画像,这是我画的最好

de yì fú le kě shì wǒ de huà xiàng bǐ qǐ tā běn rén de mú yàng lai yào xùn sè
的一幅了。可是,我的画像比起他本人的模样来要逊色

de duō tā shì nà yàng de guāng cǎi duó mù mèi lì wú qióng bú guò zhè yě bù néng
得多,他是那样的光彩夺目,魅力无穷。不过,这也不能

yuàn wǒ wǒ yǐ jīng jìn le zuì dà de nǔ lì nǐ men zhī dào de wǒ zài liù suì de
怨我,我已经尽了最大的努力。你们知道的,我在六岁的

shí hou jiù shòu dào dà rén men de dǎ jī duàn sòng le zuò huà jiā de mèng xiǎng chú le
时候就受到大人们的打击,断送了做画家的梦想,除了

huà guo hé lǒng dù pí de hé pōu kāi dù pí de mǎng shé zhī wài zài yě méi yǒu xué guo
画过合拢肚皮的和剖开肚皮的蟒蛇之外,再也没有学过

huà huar
画画儿。

wǒ jīng qí de zhēng dà yǎn jing kàn zhe zhè gè tū rán chū xiàn de xiǎo jiā huo
　　我惊奇地睁大眼睛,看着这个突然出现的小家伙。

nǐ men bú yào wàng le wǒ dāng shí chǔ zài yuǎn lí rén jiān shí wàn bā qiān lǐ de dà shā
你们不要忘了,我当时处在远离人间十万八千里的大沙

mò shang ér yǎn qián zhè gè xiǎo jiā huo kàn shang qu jì bú xiàng shì mí le lù yě
漠上。而眼前这个小家伙,看上去既不像是迷了路,也

méi yǒu bàn diǎnr pí bèi
没有半点儿疲惫、
jī è huò zhě dān jīng shòu pà de shén
饥饿或者担惊受怕的神
qíng zǒng ér yán zhī tā kàn shang qu jué duì bú
情。总而言之，他看上去绝对不
shì yí gè zài huāng wú rén yān de dà shā mò zhōng zǒu shī le
是一个在荒无人烟的大沙漠中走失了
de hái zi
的孩子。

guò le hǎo yí huìr wǒ cái cóng jīng yà zhōng huí guo shén lai wǒ
过了好一会儿，我才从惊讶中回过神来，我
wèn tā
问他：

kě shì nǐ nǐ zài zhè lǐ zuò shén me
“可是，你，你在这里做什么？”

xiǎo rénr bìng méi yǒu huí dá wǒ de wèn huà ér shì yòng tā nà qīng róu de yǔ
小人儿并没有回答我的问话，而是用他那轻柔的语
diào chóng fù gāng cái de qǐng qiú nà shén qíng xiàng shì zài xù shù yí jiàn fēi cháng zhòng
调重复刚才的请求，那神情像是在叙述一件非常重
yào de shì qing
要的事情：

láo jià qǐng gěi wǒ huà yì zhī mián yáng ba
“劳驾……请给我画一只绵羊吧！”

bù zhī dào nǐ yù dào guo zhè zhǒng qíng xíng méi yǒu yǒu shí hou nǐ huì bèi mǒu
不知道你遇到过这种情形没有：有时候你会被某
zhǒng shén mì de lì liàng kòng zhì bù yóu zì zhǔ de tīng cóng shén mì lì liàng de ān
种神秘的力量控制，不由自主地听从神秘力量的安
pái wǒ dāng shí jiù yù dào le zhè zhǒng qíng kuàng zài zhè huāng wú rén yān de shā
排。我当时就遇到了这种情况。在这荒无人烟的沙
mò shang miàn lín zhe sǐ wáng de wēi xié shuō bu dìng shén me shí hou jiù huì diū diào xìng
漠上，面临着死亡的威胁，说不定什么时候就会丢掉性
mìng zài nà zhǒng qíng kuàng xià wǒ jìng rán cóng bāo li tāo chū le yì zhāng zhǐ hé yì
命。在那种情况下，我竟然从包里掏出了一张纸和一

zhī gāng bǐ   zhǔn bèi huà huàr   zhè jǔ dòng kàn qi lai zhēn de bù kě sī yì
支钢笔，准备画画儿——这举动看起来真的不可思议。

wǒ gāng yào dòng bǐ huà mián yáng   tū rán xiǎng qi lai   wǒ zhǐ xué guò dì lǐ
我刚要动笔画绵羊，突然想起来，我只学过地理、

lì shǐ suàn shù hé yǔ fǎ   gēn běn méi yǒu xué guo huà huàr   wǒ jiù jǔ sàng de duì
历史、算术和语法，根本没有学过画画儿。我就沮丧地对

xiǎo jiā huo shuo
小家伙说：

kě shì wǒ   wǒ bú huì huà huàr
"可是，我，我不会画画儿。"

xiǎo jiā huo què shuō   méi yǒu guān xi   jiù gěi wǒ huà yì zhī mián yáng ba
小家伙却说："没有关系，就给我画一只绵羊吧！"

wǒ zhēn de cóng lái méi yǒu huà guo mián yáng   zěn me bàn ne   wǒ zhǐ hǎo zài wǒ
我真的从来没有画过绵羊，怎么办呢？我只好在我

huì huà de liǎng fú huà li xuǎn le yì fú   jiù shì nà zhāng hé lǒng dù pí de mǎng shé
会画的两幅画里选了一幅，就是那张合拢肚皮的蟒蛇

huà xiàng wǒ gěi tā chóng xīn huà le chū lai   wǒ gāng huà wán xiǎo jiā huo jiù shuō kāi
画像，我给他重新画了出来。我刚画完，小家伙就说开

le
了：

bù   bù   wǒ bú yào mǎng shé   zhè mǎng shé dù zi li hái yǒu yì tóu dà
"不，不！我不要蟒蛇，这蟒蛇肚子里还有一头大

xiàng
象。"

tīng le tā de huà   wǒ jiǎn zhí mù dèng kǒu dāi   tā jiē zhe shuō   mǎng shé zhè
听了他的话，我简直目瞪口呆。他接着说："蟒蛇这

dōng xi tài wēi xiǎn le   ér qiě   dà xiàng yòu tài zhàn dì
东西太危险了，而且，大象又太占地

fang   wǒ zhù de nà ge dì fang tài xiǎo
方。我住的那个地方太小

le   fàng bu xià zhè me dà de dòng wù
了，放不下这么大的动物。

wǒ jiù xiǎng yào yì zhī mián yáng   gěi wǒ
我就想要一只绵羊，给我

huà yì zhī mián yáng ba
画一只绵羊吧！"

9

wǒ zhǐ hǎo shì zhe gěi tā huà mián yáng　　wǒ huà le zhè yàng de yì zhī
我只好试着给他画绵羊。我画了这样的一只。

tā jù jīng huì shén de kàn le kàn zhè zhī yáng　rán hòu shuō
他聚精会神地看了看这只羊，然后说：

zhè zhī yáng yǐ jīng bìng de hěn lì hài le　wǒ bú yào　qǐng chóng xīn gěi wǒ
"这只羊已经病得很厉害了，我不要。请重新给我

huà yì zhī ba
画一只吧。"

yú shì wǒ yòu huà le yì zhāng
于是我又画了一张。

kàn zhe zhè zhī yáng　zhè wèi xiǎo péng yǒu
看着这只羊，这位小朋友

xiào le　xiào de hěn kě ài　　hē hē　nǐ
笑了，笑得很可爱。"呵呵，你

kàn　　nǐ huà de bú shì yì zhī xiǎo mián yáng
看，你画的不是一只小绵羊，

zhè shì yì zhī shān yáng　　tā de tóu shang hái zhǎng
这是一只山羊，它的头上还长

zhe jǐ jiao ne
着犄角呢！"

xiǎo jiā huo yòu jù jué le zhè yì zhī　wǒ zhǐ hǎo zài chóng xīn huà yì zhāng
小家伙又拒绝了这一只，我只好再重新画一张。

kě shì　chóng xīn huà de zhè zhāng yòu bèi xiǎo jiā huo jù jué le
可是，重新画的这张又被小家伙拒绝了。

zhè yì zhī tài lǎo le　wǒ xiǎng yào yì zhī néng huó hěn jiǔ hěn jiǔ de xiǎo mián
"这一只太老了。我想要一只能活很久很久的小绵

yáng
羊。"

zhè gè xiǎo jiā huo zěn me yǒu zhè me
这个小家伙怎么有这么

duō de yāo qiú　　wǒ yǒu diǎn bú nài fán
多的要求！我有点不耐烦

le　　yào zhī dào　wǒ de fēi jī fā dòng
了。要知道，我的飞机发动

jī hái děng zhe wǒ qù xiū lǐ ne　wǒ méi yǒu
机还等着我去修理呢，我没有

tài duō de kòng xián shí jiān　　yú shì
太多的空闲时间。于是，

wǒ jiù liáo cǎo de huà le xià miàn zhè
我就潦草地画了下面这

zhāng huà
张画。

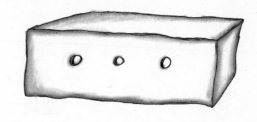

　　wǒ duì xiǎo jiā huo shuō
　　我对小家伙说：

zhè shì yì zhī xiāng zi　　nǐ yào de xiǎo mián yáng jiù zhuāng zài xiāng zi li
"这是一只箱子，你要的小绵羊就装在箱子里

miàn
面。"

　　ràng wǒ shí fēn chī jīng de shì　xiǎo jiā huo kàn dào zhè fú tú huà　jū rán xiào zhú
　　让我十分吃惊的是，小家伙看到这幅图画，居然笑逐

yán kāi　xīng fèn de shuō
颜开，兴奋地说：

duì le　zhōng yú duì le　wǒ xiǎng yào de jiù shì zhè gè　　　　nǐ néng gào
"对了，终于对了！我想要的就是这个……你能告

su wǒ　zhè zhī yáng yào chī hěn duō de cǎo ma
诉我，这只羊要吃很多的草吗？"

　　yáng dāng rán yào chī cǎo　nǐ wèi shén me yào wèn zhè gè ne
　　"羊当然要吃草，你为什么要问这个呢？"

　　yīn wèi　　yīn wèi wǒ nà gè dì fang fēi cháng xiǎo
　　"因为，因为我那个地方非常小……"

　　wǒ gěi nǐ huà de shì yì zhī hěn xiǎo hěn xiǎo de xiǎo mián yáng　tā chī de hěn
　　"我给你画的是一只很小很小的小绵羊，他吃得很

shǎo　yǒu hěn xiǎo de yí kuài dì fang jiù zú gòu wèi yǎng tā de
少，有很小的一块地方就足够喂养它的。"

　　tā bǎ liǎn còu dào zhè fú huà gēn qián　zǐ xì de qiáo zhe
　　他把脸凑到这幅画跟前，仔细地瞧着。

　　wǒ kàn jiàn le　　tā bìng bú xiàng nǐ shuō de nà me xiǎo　　　nǐ qiáo　　tā
　　"我看见了，他并不像你说的那么小……你瞧！他

yǐ jīng shuì zháo le
已经睡着了……"

　　jiù zhè yàng　wǒ jié shí le zhè wèi xiǎo wáng zǐ
　　就这样，我结识了这位小王子。

第三章

在后来的好长时间里，我都不知道小王子是从哪里来的。

这位小王子总是不停地向我问这问那，可是，对于我向他提出的问题，他好像压根儿没有听见似的。我只能从他无意中吐露的一些情况当中，逐渐揣摩出他的来历。

比如，当他第一次看见我的飞机时，他问我：

"这是一个什么东西？"

"这不是'东西'。它会飞，是一架飞机。这是我的飞机。"

wǒ gào su tā wǒ néng fēi   jià shǐ zhe fēi jī fēi xíng zhè shì wǒ fēi cháng zì
我告诉他我能飞，驾驶着飞机飞行，这是我非常自

háo de shì qing
豪的事情。

méi xiǎng dào tā jīng qí de jiào qi lai
没想到他惊奇地叫起来：

āi yā   nǐ nǐ shì cóng tiān shang diào xia lai de
"哎呀！你，你是从天上掉下来的？"

shì a   wǒ diào xia lai le   wǒ wú kě nài hé de shuō
"是啊，我掉下来了。"我无可奈何地说。

hā hā   zhè kě tài yǒu yì si le
"哈哈！这可太有意思了！"

xiǎo wáng zǐ fā chū yí zhèn shuǎng lǎng de xiào shēng
小王子发出一阵爽朗的笑声。

hā hā hā
"哈哈哈！"

xiǎo wáng zǐ de xiào shēng shǐ wǒ hěn bù gāo xìng   zài bié rén zāo shòu bú xìng de
小王子的笑声使我很不高兴。在别人遭受不幸的

shí hou   nǐ shì bù yīng gāi qù cháo xiào de
时候，你是不应该去嘲笑的，

wǒ tè bié zài yì zhè yì diǎn wǒ xī wàng bié
我特别在意这一点，我希望别

rén néng yán sù de duì dài wǒ de bú
人能严肃地对待我的不

xìng
幸。

xiào guo zhī hòu xiǎo wáng zǐ yòu
笑过之后，小王子又

shuō dào
说道：

nà me   yě jiù shì shuō nǐ
"那么，也就是说，你

yě shì cóng tiān shang lái
也是从天上来

de   nǐ shì cóng nǎ gè
的！你是从哪个

xīng qiú shang lái de ne
星球上来的呢？"

tā shuō nǎ gè xīng qiú   zhè huà shì shén me yì si   hā hā   wǒ zhōng yú
他说"哪个星球"，这话是什么意思？哈哈！我终于

bǔ zhuō dào le yì diǎnr   xiàn suǒ   yì diǎnr guān yú tā lái zì yú nǎ lǐ de xiàn
捕捉到了一点儿线索，一点儿关于他来自于哪里的线

suǒ   yú shì   wǒ jǐn jiē zhe tā de huà fā wèn
索。于是，我紧接着他的话发问：

zhè me shuō   nǐ shì cóng lìng wài yí gè xīng qiú shang lái de
"这么说，你是从另外一个星球上来的？"

kě shì   tā bìng bù huí dá wǒ de wèn tí   tā zhǐ shì yì biān dǎ liang zhe wǒ
可是，他并不回答我的问题。他只是一边打量着我

de fēi jī   yì biān qīng qīng de yáo zhe tóu   nán nán de shuō dào
的飞机，一边轻轻地摇着头，喃喃地说道：

kě bu shì ma   jiù píng nǐ jià shǐ de zhè gè wán yìr   dāng rán bù kě néng
"可不是嘛，就凭你驾驶的这个玩意儿，当然不可能

shì cóng hěn yuǎn hěn yuǎn de dì fang lái de
是从很远很远的地方来的……"

shuō dào zhè lǐ   xiǎo wáng zǐ xiàn rù le chén sī zhī zhōng   shì nà zhǒng cháng shí
说到这里，小王子陷入了沉思之中，是那种长时

jiān de níng shén chén sī   chén sī guò hòu   tā cóng kǒu dai li tāo chū le wǒ gěi tā de
间的凝神沉思。沉思过后，他从口袋里掏出了我给他的

nà zhāng huà zhǐ   zǐ xì duān xiáng huà zhǐ shang de xiǎo mián yáng
那张画纸，仔细端详画纸上的小绵羊。

zhè gè xiǎo jiā huo zhēn de hěn shén mì   tā gāng gāng tòu lù chū   bié de xīng
这个小家伙真的很神秘。他刚刚透露出"别的星

qiú   de xiàn suǒ   ràng wǒ chǎn shēng wú jìn de xiá xiǎng   kě shì tā yòu tíng xia lai bù
球"的线索，让我产生无尽的遐想，可是他又停下来不

shuō le   tā yuè shì bù shuō   wǒ de hào qí xīn yuè zhòng   suǒ yǐ   wǒ jué dìng yí
说了。他越是不说，我的好奇心越重。所以，我决定一

dìng yào tàn tīng tā gèng duō de mì mì   xiǎng fāng shè fǎ nòng qīng chu tā de lái lì   yú
定要探听他更多的秘密，想方设法弄清楚他的来历。于

shì wǒ wèn tā
是我问他：

xiǎo jiā huo   nǐ shì cóng nǎ lǐ lái de   nǐ de jiā zài shén me dì fang
"小家伙，你是从哪里来的？你的家在什么地方？

nǐ yào bǎ wǒ de xiǎo mián yáng dài dào nǎ li qu
你要把我的小绵羊带到哪里去？"

xiǎo wáng zǐ yòu chén sī le yí huìr　rán hòu huí dá shuō
小王子又沉思了一会儿，然后回答说：

hái hǎo　nǐ gěi wǒ huà le yì zhī xiāng zi　yè li　xiāng zi kě yǐ gěi xiǎo
"还好，你给我画了一只箱子，夜里，箱子可以给小

mián yáng dàng fáng zi yòng
绵羊当房子用。"

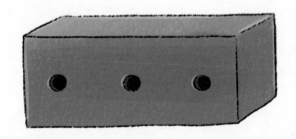

dāng rán le　mián yáng kě yǐ zài xiāng zi li shuì jiào　rú guǒ nǐ guāi guāi tīng
"当然了，绵羊可以在箱子里睡觉。如果你乖乖听

huà　wǒ hái kě yǐ gěi nǐ huà yì gēn shéng zi　zài huà yí gè xiǎo mù zhuāng　bái tiān
话，我还可以给你画一根绳子，再画一个小木桩。白天

de shí hou　nǐ kě yǐ bǎ mián yáng shuān zài mù zhuāng shang
的时候，你可以把绵羊拴在木桩上。"

méi xiǎng dào wǒ de jiàn yì bù jǐn méi yǒu ràng xiǎo wáng zǐ gāo xìng　fǎn ér yǐn
没想到我的建议不仅没有让小王子高兴，反而引

qǐ le tā de qiáng liè fǎn gǎn
起了他的强烈反感。

bǎ yáng shuān zài mù zhuāng shang　wèi shén me　kuī nǐ xiǎng de chu lai
"把羊拴在木桩上？为什么？亏你想得出来！"

kě shì　rú guǒ nǐ bù shuān zhù tā　tā huì dào chù luàn pǎo　zuì hòu huì pǎo
"可是，如果你不拴住它，他会到处乱跑，最后会跑

diū de
丢的。"

tīng le wǒ de huà　xiǎo wáng zǐ yòu gē gē de xiào chū le shēng
听了我的话，小王子又咯咯地笑出了声：

tā huì pǎo diū de　nǐ rèn wéi tā huì pǎo dào nǎ lǐ qù ya
"他会跑丢的？你认为他会跑到哪里去呀？"

tā nǎ lǐ dōu kě yǐ pǎo de   yì zhí wǎng qián pǎo   bù huí lai   bú jiù pǎo
"他哪里都可以跑的，一直往前跑，不回来，不就跑

diū le
丢了？"

jiàn wǒ zhè me shuō   xiǎo wáng zǐ zhèng zhòng qí shì de shuō
见我这么说，小王子郑重其事地说：

gào su nǐ ba   tā zěn me pǎo dōu méi yǒu guān xi   yīn wèi wǒ nà lǐ hěn xiǎo
"告诉你吧，他怎么跑都没有关系，因为我那里很小

hěn xiǎo
很小。"

kàn dào wǒ lù chū chī jīng de shén qíng   tā yòu bǔ chōng shuō
看到我露出吃惊的神情，他又补充说：

yì zhí wǎng qián pǎo   yě bú huì pǎo chū duō yuǎn   shuō zhè huà de shí
"一直往前跑，也不会跑出多远……"说这话的时

hou   tā de shénqíng li jìng rán dài zhe yì sī yōu shāng
候，他的神情里竟然带着一丝忧伤。

dì sì zhāng
第四章

wǒ bù néng wán quán lǐ jiě xiǎo wáng zǐ de zhè jù huà　　zhí dào wǒ liǎo jiě dào
我不能完全理解小王子的这句话，直到我了解到

lìng yí gè fēi cháng zhòng yào de shì shí　　nà jiù shì　　xiǎo wáng zǐ suǒ jū zhù de nà
另一个非常重要的事实，那就是，小王子所居住的那

gè xīng qiú　　shí jì shang bǐ yí zuò fáng zi dà bù liǎo duō shao
个星球，实际上比一座房子大不了多少。

shì shí shang xīng qiú de dà xiǎo dào méi yǒu shǐ wǒ gǎn dào fēi cháng jīng qí　　yīn
事实上，星球的大小倒没有使我感到非常惊奇，因

wèi wǒ zhī dào　　chú le dì qiú　　mù xīng huǒ xīng hé jīn xīng zhè jǐ gè fēi cháng yǒu míng
为我知道，除了地球、木星、火星和金星这几个非常有名

de dà xíng xīng zhī wài　　zài yǔ zhòu kōng jiān li　　hái yǒu chéng qiān shàng wàn kē xiǎo xíng
的大行星之外，在宇宙空间里，还有成千上万颗小行

xīng　　tā men dāng zhōng　　yǒu
星。它们当中，有

de xīng qiú fēi cháng fēi cháng
的星球非常非常

xiǎo　　wǒ men jiù shì yòng tiān
小，我们就是用天

wén wàng yuǎn jìng yě hěn nán
文望远镜也很难

kàn dào tā men　　yǒu bù shǎo
看到它们。有不少

tiān wén xué jiā yì zhí yòng tè zhì de tiān wén wàng yuǎn jìng zài
天文学家一直用特制的天文望远镜在

tiān kōng sōu suǒ　　yí dàn fā xiàn le yì kē xīn de xiǎo xīng
天空搜索，一旦发现了一颗新的小星

星，他们就立即给它起一个名字，这个名字实际上是一个编号，比如有一颗星星叫做"3251号小行星"。

小王子是从哪颗星星上来的呢？经过一番努力，我发现了重要的证据，证明小王子所居住的星星，就是B612号小行星。

B612号小行星就是一颗非常小的行星，我们很难在地球上看到它，只是在1909年，它被一个土耳其天文学家用天文望远镜看到过一次。当时，这位土耳其天文学家在一次国际天文学学术大会上发表演说，向全

世界公布了他的发现。但是，那个时候，根本没有一个人相信他的发现。不相信他的理由也非常滑稽，那是因

为他在演说的时候，身上穿的是土耳其的民族服装。

不管你相信不相信，有时候，那些大人们就是这样做出判断的。

好在事情并没有就此结束。

当时，有一位土耳其的统治者，坚决捍卫B612号小行星的声誉，他公布了新的法令，要求他的人民一律改穿西装，违背法令的要被斩首。1920年，那位土耳其天文学家身穿非常考究的西装，在国际会议上重新论证了他的发现。这一次，所有的人都承认了他的发现，承认了B612号小行星的存在。

本来我给你们讲的是小王子的小行星，可是，我啰里啰嗦讲了这么一大堆偏离主题的话，甚至连小行星的编号都告诉给你们。我知道你们不会对这些细节感兴趣，这些编号什么的事情，完全是大人们热衷的东西。

不知道你发现没有，大人们就喜欢一些数字。比如，你跟大人们谈起你新近结交的一个朋友，大人们关心的并不是这位新朋友最重要的事情。他们从来不会这样问你："他说话声音好听吗？他喜爱什么样的游戏啊？他收集蝴蝶标本吗？"他们肯定会这样问你："他几岁了？家里有几个孩子呀？他体重是多少？他父母每个月挣多少钱呀？"他们就这样一直问下去，好像知道了这些数字，他们就已经非常了解这位新朋友了。

有一天，你对大人们说："我看到了一幢房子，真的很漂亮。玫瑰红的砖墙，窗台上摆放着盛开的天竺葵，屋顶上落着一群鸽子……"大人们听了你的讲述，怎么也想象不出这幢房子有多么漂亮。如果你换一种方式对他们说："我看见了一幢房子，一幢价值十几万法郎的房子！"他们马上就会发出惊叫："哎呀！多么漂

liang de fáng zi a
亮的房子啊！"

tóng yàng de dào li nǐ shì shi gēn dà rén men zhè yàng shuō yǒu zhèng jù zhèng
同样的道理，你试试跟大人们这样说："有证据证

míng zhè gè shì jiè shang dí què yǒu nà me yí gè xiǎo wáng zǐ cún zài yīn wèi tā
明，这个世界上的确有那么一个小王子存在。因为他

zǒng shì gē gē xiào tè bié zhāo rén xǐ ài tā hái xiǎng yào yì zhī xiǎo mián yáng zhī
总是咯咯笑，特别招人喜爱，他还想要一只小绵羊。知

dào ma tā xiǎng yào yì zhī xiǎo mián yáng zhè jiù shì yí gè zhèng míng zhèng míng tā dí
道吗，他想要一只小绵羊，这就是一个证明，证明他的

què cún zài guo
确存在过。"

dà rén men tīng le nǐ de huà yí dìng huì sǒng sǒng jiān bǎng rèn wéi zhè shì yí
大人们听了你的话，一定会耸耸肩膀，认为这是一

gè xiǎo hái zi zài xiǎng rù fēi fēi dàn shì rú guǒ nǐ huàn yì zhǒng shuō fǎ jiù huì
个小孩子在想入非非！但是，如果你换一种说法，就会

chǎn shēng bù tóng de xiào guǒ nǐ zhè yàng duì tā men shuō xiǎo wáng zǐ lái zì
产生不同的效果。你这样对他们说："小王子来自B612

hào xiǎo xíng xīng dà rén men tīng dào zhè gè shù zì jiù huì shí fēn xìn fú tā men zài
号小行星。"大人们听到这个数字，就会十分信服，他们再

yě bú huì yòng yí dà duī wèn tí lái zhuī wèn nǐ jiū chán nǐ wǒ de jīng yàn gào su
也不会用一大堆问题来追问你、纠缠你。我的经验告诉

我，大人们就是这样的。所以，在这里我要特别叮嘱小孩子们，你们对大人们应该宽厚一些，不要总是埋怨他们。

当然啦，对于真正懂得生活是什么的人来说，那些编号一点儿意义也没有。生活才不是什么荒唐的编号，生活的意义在于生活本身。你可能还不理解我为什么会这样说，没关系，你慢慢会理解的。所以，我真的愿意像讲述传统童话那样来开始这个故事，那样的话，我会这样写：

"在很久很久以前，有一个小王子，他居住在一颗小行星上，那颗行星比他的身体大不了多少。小王子希望有一个朋友……"对于那些真正理解生活的人来说，这样的故事听起来才更加真实。

我希望你们大家能认真地对待我这本书，认真对待我讲述的故事。

wǒ xiǎng gào su nǐ men zài huí yì zhè duàn wǎng shì de shí hou wǒ de nèi xīn
我想告诉你们，在回忆这段往事的时候，我的内心

shì nà yàng de yōu shāng nà yàng de nán guò liù nián qián wǒ de péng you dài zhe tā
是那样的忧伤，那样的难过。六年前，我的朋友带着他

de xiǎo mián yáng lí kāi le wǒ zhè liù nián li zài méi yǒu tā de yīn xùn wǒ
的小绵羊离开了我。这六年里，再没有他的音讯。我

xiàn zài xiě zhè gè gù shi nǔ lì bǎ tā miáo xiě chu lai jiù shì wèi le bú yào wàng
现在写这个故事，努力把他描写出来，就是为了不要忘

jì tā
记他。

zhī dào ma wàng jì yí gè péng you shì yí jiàn fēi cháng bēi āi de shì qing
知道吗，忘记一个朋友，是一件非常悲哀的事情。

kuàng qiě bìng bú shì měi yí gè rén zài tā de yì shēng zhōng dōu yǒu guò yí gè hǎo péng
况且，并不是每一个人在他的一生中都有过一个好朋

you tuì yí bù shuō yǒu zhāo yí rì wǒ yě kě néng biàn chéng hé nà xiē dà rén men
友。退一步说，有朝一日，我也可能变成和那些大人们

yí yàng zhǐ duì nà xiē shù zì gǎn xìng qù xīn li kě néng jiù méi yǒu le wǎng rì de
一样，只对那些数字感兴趣，心里可能就没有了往日的

朋友。也正是为了这个缘故，我买了一盒
颜料和一些画笔，我要把小王子画出来。

　　大家都已经知道，我只是在六岁的时候
画过合拢肚皮的以及剖开肚皮的蟒蛇，以后
再也没有画过别的什么东西。现在，到了这
样的年纪，重新提起笔来画画儿，真是十分
费劲啊！当然，我会尽力而为，把小王子画
得尽可能地逼真。但是，说实在的，我自己
也没有多大的把握。

　　有时候，这一张画得还可以，下一张就
不大像了。小王子的身材比例也是很难把
握的。有时候把小王子画得过于高大了，有
时候又把他画得过于矮小了。还有，他衣服

的颜色也让我费尽了心思……于是，我只能
摸索着画，这么试试再那么改改，凑合着画
下去。需要声明的是，很可能我把某些重
要的细节画错了。我在这里请大家原谅。
因为我的这个小朋友，从来没有给我讲过
关于他的一切。也许他认为我和他一样，什
么都不需要解释。可是，很遗憾，他能透过
箱子看见箱子里面的小羊，而我却不能。
我曾经把自己和大人们比较，觉得自己和大
人们不一样，我相信自己是个纯真的孩子。
可是，随着时光流逝，我大概已经和大人们
差不多了。没有办法，我没有办法让自己不
变老。

dì wǔ zhāng
第五章

wǒ hái shì jiē zhe gěi nǐ men jiǎng xiǎo wáng zǐ hé tā de xīng qiú de gù shi
我还是接着给你们讲小王子和他的星球的故事。

nà shí hou měi yì tiān wǒ dōu huì liǎo jiě dào gèng duō de guān yú xiǎo wáng zǐ
那时候，每一天，我都会了解到更多的关于小王子

xīng qiú de gù shi hái yǒu tā lí kāi tā de xīng qiú sì chù lǚ xíng de gù shi dāng
星球的故事，还有他离开他的星球四处旅行的故事。当

rán suǒ yǒu zhè xiē dōu shì cóng gè zhǒng líng suì xìn xī li shōu jí zhěng lǐ chu lai de
然，所有这些都是从各种零碎信息里收集整理出来的，

bìng bú shì xiǎo wáng zǐ zhí jiē gào su wǒ de
并不是小王子直接告诉我的。

jiù zhè yàng dào le dì sān tiān wǒ jiù zhī dào le guān yú hóu miàn bāo shù de
就这样，到了第三天，我就知道了关于猴面包树的

gù shi
故事。

zhè yí cì hái shì děi gǎn xiè nà zhī xiǎo mián yáng shì qing jiù shì yóu xiǎo mián
这一次还是得感谢那只小绵羊，事情就是由小绵

yáng yǐn qǐ de
羊引起的。

nà tiān xiǎo wáng zǐ yí fù xīn shì chóng chóng de yàng zi tā tū rán wèn wǒ
那天，小王子一副心事重重的样子，他突然问我：

mián yáng huì chī xiǎo guàn mù de duì ma
"绵羊会吃小灌木的，对吗？"

26

duì a   tā chī xiǎo guàn mù
“对啊，他吃小灌木。”

ò   nà wǒ jiù fàng xīn le
“哦，那我就放心了。”

wǒ bù míng bai   mián yáng kěn shí xiǎo guàn mù zhè jiàn shì yǒu nà me zhòng yào
我不明白，绵羊啃食小灌木这件事有那么重要

ma   xiǎo wáng zǐ jì xù wèn dào
吗？小王子继续问道：

yě jiù shì shuō mián yáng yě chī hóu miàn bāo shù   duì ma
“也就是说，绵羊也吃猴面包树，对吗？”

wǒ gěi xiǎo wáng zǐ jiě shì   hóu miàn bāo shù kě bú shì xiǎo guàn mù   tā shì xiàng
我给小王子解释：猴面包树可不是小灌木，它是像

jiào táng tǎ jiān nà me gāo de dà shù   shù gàn kě néng yǒu shí jǐ mǐ cū   jí shǐ xiǎo
教堂塔尖那么高的大树，树干可能有十几米粗。即使小

wáng zǐ dài hui qu yì qún dà xiàng   yě kěn bu dòng yì kē hóu miàn bāo shù
王子带回去一群大象，也啃不动一棵猴面包树。

wǒ shuō yì qún dà xiàng de shí hou   xiǎo wáng zǐ gē gē de xiào le
我说一群大象的时候，小王子咯咯地笑了。

rú guǒ zhēn dài hui qu yì qún dà xiàng   nà zhǐ hǎo bǎ tā men yì tóu yì tóu
“如果真带回去一群大象，那只好把它们一头一头

de luò qi lai le
地摞起来了。”

jiē zhe   tā líng jī yí dòng   bǔ chōng shuō
接着，他灵机一动，补充说：

"猴面包树在长成大树之前,也是小小的树苗。"

"不错,你说得对。可是,我不知道,你为什么想让你的绵羊去吃猴面包树苗呢?"

他给我的回答是:"怎么,这还用说吗?"

在他看来,这是再清楚不过的事情,根本就不用加以解释。可是,我弄明白这个问题,动了好长时间的脑筋。

事情是这样的:小王子的星球和其他行星一样,上面生长着一些植物。植物有好的,也有坏的。好的植物生出好的种子,坏的植物生出坏的种子。可是,这些种子是看不见的,他们悄悄地埋在泥土里面,直到其中的一粒种子忽然想要苏醒过来。于是,他首先伸个懒腰,然后羞答答地朝着太阳伸出一个娇嫩的幼芽,一副可爱迷人的样子。如果这是一个小萝卜或者一朵玫瑰

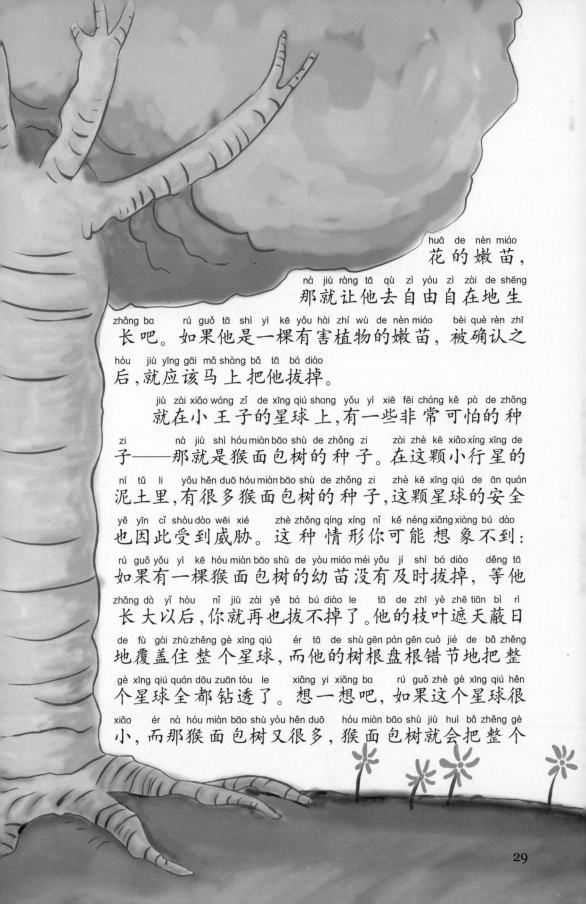

huā de nèn miáo,
花的嫩苗，

nà jiù ràng tā qù zì yóu zì zài de shēng
那就让他去自由自在地生

zhǎng ba   rú guǒ tā shì yì kē yǒu hài zhí wù de nèn miáo   bèi què rèn zhī
长吧。如果他是一棵有害植物的嫩苗，被确认之

hòu   jiù yīng gāi mǎ shàng bǎ tā bá diào
后，就应该马上把他拔掉。

jiù zài xiǎo wáng zǐ de xīng qiú shang yǒu yì xiē fēi cháng kě pà de zhǒng
就在小王子的星球上，有一些非常可怕的种

zi   nà jiù shì hóu miàn bāo shù de zhǒng zi   zài zhè kē xiǎo xíng xīng de
子——那就是猴面包树的种子。在这颗小行星的

ní tǔ li   yǒu hěn duō hóu miàn bāo shù de zhǒng zi   zhè kē xīng qiú de ān quán
泥土里，有很多猴面包树的种子，这颗星球的安全

yě yīn cǐ shòu dào wēi xié   zhè zhǒng qíng xíng nǐ kě néng xiǎng xiàng bú dào
也因此受到威胁。这种情形你可能想象不到：

rú guǒ yǒu yì kē hóu miàn bāo shù de yòu miáo méi yǒu jí shí bá diào   děng tā
如果有一棵猴面包树的幼苗没有及时拔掉，等他

zhǎng dà yǐ hòu   nǐ jiù zài yě bá bú diào le   tā de zhī yè zhē tiān bì rì
长大以后，你就再也拔不掉了。他的枝叶遮天蔽日

de fù gài zhù zhěng gè xīng qiú   ér tā de shù gēn pán gēn cuò jié de bǎ zhěng
地覆盖住整个星球，而他的树根盘根错节地把整

gè xīng qiú quán dōu zuān tòu le   xiǎng yi xiǎng ba   rú guǒ zhè gè xīng qiú hěn
个星球全都钻透了。想一想吧，如果这个星球很

xiǎo   ér nà hóu miàn bāo shù yòu hěn duō   hóu miàn bāo shù jiù huì bǎ zhěng gè
小，而那猴面包树又很多，猴面包树就会把整个

xīng qiú nòng de zhī lí pò suì
星球弄得支离破碎。

xiǎo wáng zǐ hòu lái gào su wǒ   xiǎo xīng qiú shēng huó fǎ zé zhī yī   jiù shì
小王子后来告诉我:"小星球生活法则之一,就是

měi tiān zǎo shang zài nǐ zì jǐ shū xǐ zhī hòu   bì xū rèn zhēn xì zhì de gěi nǐ de
每天早上,在你自己梳洗之后,必须认真细致地给你的

xīng qiú shū xǐ yí biàn   nǐ bì xū àn zhào guī zé dìng qī qù bá diào hóu miàn bāo shù
星球梳洗一遍。你必须按照规则定期去拔掉猴面包树

de yòu miáo   hóu miàn bāo shù de yòu miáo xiǎo de shí hou gēn méi gui de yòu miáo shí fēn
的幼苗。猴面包树的幼苗小的时候跟玫瑰的幼苗十分

xiāng xiàng   nǐ bì xū zǐ xì de qū fēn tā men   qū fēn kāi lái yǐ hòu   nǐ jiù yào jiān
相像,你必须仔细地区分他们,区分开来以后,你就要坚

jué de bá diào hóu miàn bāo shù miáo   qí shí zhè shì yí jiàn tǐng kū zào de gōng zuò   dàn
决地拔掉猴面包树苗。其实这是一件挺枯燥的工作,但

shì zuò qi lai méi yǒu shén me nán dù
是做起来没有什么难度。"

yǒu yì tiān   xiǎo wáng zǐ jiàn yì wǒ huà yì zhāng huà   yì zhāng jīng xīn miáo huì
有一天,小王子建议我画一张画,一张精心描绘

de tā nà kē xīng qiú de tú huà   jiāng lái ná gěi wǒ gù xiāng de hái zi men kàn   ràng
的他那颗星球的图画,将来拿给我故乡的孩子们看,让

tā men duì xiǎo wáng zǐ de xīng qiú yǒu bǐ jiào shēn kè de liǎo jiě
他们对小王子的星球有比较深刻的了解。

"如果他们哪一天到那颗星球去旅行，"小王子说，"这对他们是很有帮助的。你知道，有时候，人们总把自己今天应该做的事情推迟到以后去做，觉得这并没有什么妨害。但是，如果遇到消灭猴面包树幼苗这种事，如果你耽搁了，就会造成巨大的灾难。我就知道曾经有那么一个星球，上面住着一个懒家伙，他偷懒放过了三棵小树苗，结果……"

我明白小王子的意思了，于是，按照小王子描述的样子，我把他居住的那个星球画了下来。

我从来不愿意教训别人，指点别人应该怎样做，不应该怎样做。可是，猴面包树对于小行星的危险，大家都还不了解，猴面包树已经极大地危害了居住在小行星上的人们。因此，这一次，我毅然打破我的不喜欢教训人的惯例，站出来说："孩子们，当心那些猴面包树呀！它们非常危险！"

请记住我的忠告。

wǒ huā fèi le hěn duō shí jiān hěn duō jīng lì lái huà zhè fú huà wèi de shì ràng
我花费了很多时间、很多精力来画这幅画,为的是让

péng you men jǐng tì zhè zhǒng wēi xiǎn yě xǔ nǐ men gēn wǒ yí yàng cháng qī yǐ
朋友们警惕这种危险——也许你们跟我一样,长期以

lái yì zhí miàn lín zhè yàng de wēi xiǎn dàn shì què duì wēi xiǎn yī wú suǒ zhī tōng guò
来一直面临这样的危险,但是却对危险一无所知。通过

zhè zhāng huà wǒ bǎ wǒ de zhōng gào hé qǐ shì biǎo dá le chu lai wǒ gǎn jué wǒ suǒ
这张画,我把我的忠告和启示表达了出来,我感觉我所

huā fèi de shí jiān hé jīng lì dōu shì zhí dé de
花费的时间和精力都是值得的。

第六章

哦！小王子，和他接触时间长了，我才有机会逐渐了解了他在那个小小星球上的生活，孤独忧郁的生活。我知道，在过去相当长的时间里，小王子唯一的消遣，就是观赏那夕阳西下的温柔景色。

我是在第四天早晨得知这个情况的。当时，小王子对我说：

"我喜欢看日落。走，咱们去看日落吧！"

kě shì nà yě děi děng
“可是，那也得等……”

děng shén me ne
“等什么呢？”

dāng rán shì děng tài yáng luò shān xiàn zài cái shì zǎo chén a
“当然是等太阳落山。现在才是早晨啊！”

tīng le wǒ de huà qǐ chū xiǎo wáng zǐ mǎn liǎn dōu shì jīng qí de shén sè
听了我的话，起初，小王子满脸都是惊奇的神色。
suí hòu tā jiù xiào le xiào zì jǐ hú tu tā shuō
随后，他就笑了，笑自己糊涂。他说：

wǒ zǒng yǐ wéi shì zài zì jǐ de xīng qiú shang ne
“我总以为是在自己的星球上呢！”

qí shí dà jiā dōu zhī dào xiàn zài de měi guó shì zhèng wǔ shí fēn ér cǐ kè
其实，大家都知道，现在的美国是正午时分，而此刻
zài fǎ guó zhèng xī yáng xī xià zhè shì shí chā zào chéng de zhǐ yào nǐ zài yì fēn
在法国，正夕阳西下。这是时差造成的。只要你在一分
zhōng zhī nèi fēi dào fǎ guó nǐ jiù kě yǐ xīn shǎng dào rì luò de měi jǐng yí hàn
钟之内飞到法国，你就可以欣赏到日落的美景。遗憾
de shì měi guó jù lí fǎ guó tài yáo yuǎn le shéi yě bù kě néng zài yì fēn zhōng zhī
的是，美国距离法国太遥远了，谁也不可能在一分钟之
nèi fēi guo qu
内飞过去。

zài xiǎo wáng zǐ jū zhù de xiǎo xíng xīng shang qíng kuàng jiù bù yí yàng le yīn
在小王子居住的小行星上，情况就不一样了。因
wèi xīng qiú fēi cháng xiǎo nǐ zhǐ yào bǎ nǐ de yǐ zi nuó dòng jǐ bù jiù bǎ zhè gè
为星球非常小，你只要把你的椅子挪动几步，就把这个
wèn tí jiě jué le zhè yàng yì lái nǐ kě yǐ suí shí kàn dào nǐ xiǎng yào kàn de luò
问题解决了。这样一来，你可以随时看到你想要看的落
rì hé wǎn xiá
日和晚霞……

xiǎo wáng zǐ shuō yǒu yì tiān wǒ zǒng gòng kàn le sì shí sān cì rì luò
小王子说：“有一天，我总共看了四十三次日落！”
guò le yí huìr tā yòu bǔ chōng shuō
过了一会儿，他又补充说：

nǐ zhī dào yí gè rén xīn li fēi cháng nán guò de shí hou tā jiù xǐ huan qù
“你知道，一个人心里非常难过的时候，他就喜欢去

^{kàn rì luò}
看日落。"

^{nà me gào su wǒ nǐ yì lián kàn le sì shí sān cì rì luò de nà tiān xīn}
"那么，告诉我，你一连看了四十三次日落的那天，心

^{lǐ shì bu shì fēi cháng nán guò}
里是不是非常难过？"

^{xiǎo wáng zǐ yì zhí méi yǒu huí dá}
小王子一直没有回答。

dì qī zhāng
第七章

dì wǔ tiān xiǎo wáng zǐ xiàng wǒ jiē kāi le tā gèng duō de shēng huó mì mì
第五天,小王子向我揭开了他更多的生活秘密。

shì qíng hái shì cóng nà zhī xiǎo mián yáng shuō qǐ de   hǎo xiàng shì míng sī kǔ xiǎng
事情还是从那只小绵羊说起的。好像是冥思苦想

le hǎo cháng shí jiān   yǐ jīng dé chū le shén me jié lùn   xiǎo wáng zǐ tū rán méi tóu méi
了好长时间,已经得出了什么结论,小王子突然没头没

nǎo de wèn wǒ
脑地问我:

rú guǒ xiǎo mián yáng chī xiǎo guàn mù de huà   nà tā kěn dìng yě huì chī huā cǎo
"如果小绵羊吃小灌木的话,那他肯定也会吃花草

la
啦?"

shì de   mián yáng huì chī tā zhǎo dào de suǒ yǒu zhí wù
"是的,绵羊会吃他找到的所有植物。"

lián dài cì de huā yě chī ma
"连带刺的花也吃吗?"

dài cì de yě chī
"带刺的也吃!"

36

"那你说，那长在花茎上的刺还有什么用呢？"

这个问题我还真不知道应该怎么回答。

那时候，我正忙着从发动机上卸下一颗螺丝钉，这颗螺丝钉实在拧得太紧。我忧心忡忡，因为我发现发动机的故障似乎很严重，而且饮用水也快喝完了，我担心最坏的情况可能发生。

"你说说，那长在花茎上的刺还有什么用呢？"

小王子一旦提出了问题，就要打破沙锅问到底，没有答案是不会罢休的。当时，那颗该死的螺丝钉正跟我较劲，我于是就随便应付他说：

"那些刺嘛，根本就没有什么用。花儿所以长刺，是

因为花儿们不够善良。"

"啊？是这样？"

小王子先是沉默了一会儿，然后竟然恼怒起来。

"我才不相信你的话！花儿是那么弱小，那么天真，她们怎么会不够善良？她们在身上长出刺来，是在尽力保护自己，她们以为身上有了刺，别人就不敢来欺负她们……"

我只是默不作声。当时我的脑子里还想着那颗螺丝钉，我想，如果那颗螺丝钉再跟我作对，我就一锤子把它敲下来。

可是，小王子又来打搅我的思绪：

wǒ wèn nǐ　　nǐ zěn me xiǎng zhè huār
"我问你，你怎么想这花儿……"

wǒ bú nài fán le　　gòu le　　gòu le　　wǒ shén me yě méi xiǎng　　wǒ zhǐ
我不耐烦了。"够了，够了！我什么也没想！我只

shì suí kǒu luàn shuō de　　bié dǎ rǎo wǒ　　méi kàn jiàn wǒ zhèng máng zhe zhòng yào de shì
是随口乱说的。别打扰我，没看见我正忙着重要的事

qing ma
情吗？"

xiǎo wáng zǐ jīng dāi le　　lèng lèng de kàn zhe wǒ
小王子惊呆了，愣愣地看着我。

máng zhòng yào de shì qing ma
"忙重要的事情吗？"

tā kàn dào wǒ shǒu ná chuí zi hé gǎi zhuī shuāng shǒu zhān mǎn wū hēi de yóu ní
他看到我手拿锤子和改锥，双手沾满乌黑的油泥，

shēn zi pā zài yí gè zài tā kàn lái wú bǐ chǒu lòu de tiě jiā huo shang
身子趴在一个在他看来无比丑陋的铁家伙上。

nǐ shuō huà jiǎn zhí hé nà xiē dà rén yí yàng
"你说话简直和那些大人一样！"

tā de huà shǐ wǒ gǎn dào xiū kuì　　kě tā hái bú bà xiū　　jì xù jiān kè wú qíng
他的话使我感到羞愧，可他还不罢休，继续尖刻无情

de shuō dào
地说道：

nǐ gēn běn jiù shén me dōu bù míng bai　　nǐ bǎ suǒ yǒu de shì qing nòng de hú
"你根本就什么都不明白，你把所有的事情弄得糊

^{li hú tu}
里糊涂！"

^{tā kàn shang qu zhēn de shēng qì le　　 tā yì biān shuō yì biān yáo dòng zhe nǎo}
他看上去真的生气了，他一边说一边摇动着脑

^{dai　 tā nà jīn huáng sè de tóu fā zài fēng li chàn dòng zhe}
袋，他那金黄色的头发在风里颤动着。

^{wǒ yào gào su nǐ　 wǒ dào guò yí gè xīng qiú　 xīng qiú shang zhù zhe yí gè hóng}
"我要告诉你，我到过一个星球，星球上住着一个红

^{liǎn táng xiān sheng　 zhè wèi xiān sheng cóng lái méi yǒu wén guò yì duǒ huā de xiāng wèi　cóng}
脸膛先生。这位先生从来没有闻过一朵花的香味，从

^{lái méi yǒu kàn guo yì kē xīng xing　 yě cóng lái méi yǒu xǐ huan guo rèn hé yí gè rén}
来没有看过一颗星星，也从来没有喜欢过任何一个人。

^{tā zhǐ huì zuò jiā fǎ yùn suàn　 chú le jì suàn zhī wài　 tā shén me yě méi yǒu zuò guo}
他只会做加法运算，除了计算之外，他什么也没有做过。

^{jiù shì zhè yàng yí gè rén　 hé nǐ yí yàng chéng tiān zǒng shì zài shuō　 wǒ zài zuò zhòng}
就是这样一个人，和你一样，成天总是在说：'我在做重

^{yào de shì qing　 wǒ shì yí gè yán sù rèn zhēn de rén　 jiù shì yīn wèi tā suǒ wèi de}
要的事情，我是一个严肃认真的人。'就是因为他所谓的

^{zhòng yào shì qing　 tā xiǎn de shí fēn ào màn　 kě shì　 zhè yàng de rén hái suàn shén me}
重要事情，他显得十分傲慢。可是，这样的人还算什么

rén tā yǐ jīng bú zài shì rén ér shì yí gè mó gu
人？他已经不再是人，而是一个蘑菇！"

nǐ shuō shì gè shén me
"你说是个什么？"

mó gu
"蘑菇！"

zhè shí xiǎo wáng zǐ yīn wèi qì fèn yǐ jīng liǎn sè shà bái
这时，小王子因为气愤，已经脸色煞白。

nǐ zhī dào bù zhī dào qiān wàn nián yǐ lái huār men dōu zhǎng zhe cì
"你知道不知道，千万年以来，花儿们都长着刺，

kě shì qiān wàn nián yǐ lái yángr men dōu zài kěn shí huā cǎo bǎ huār chī diào
可是千万年以来，羊儿们都在啃食花草，把花儿吃掉。

huār wèi shén me fèi zhè me dà de lì qi gěi zì jǐ shēng zhǎng chū cì lái ér
花儿为什么费这么大的力气给自己生长出刺来，而

zhè cì yòu méi yǒu shén me yòng chu yào gǎo qīng chu zhè gè wèn tí nán dào bú shì
这刺又没有什么用处？要搞清楚这个问题，难道不是

fēi cháng zhòng yào de shì qing nán dào mián yáng hé huār zhī jiān de zhè zhǒng zhēng
非常重要的事情？难道绵羊和花儿之间的这种争

dòu jiù bú zhòng yào ma nán dào zhè bù bǐ nà gè hóng liǎn táng xiān sheng de jiā fǎ
斗就不重要吗？难道这不比那个红脸膛先生的加法

yùn suàn gèng zhòng yào zài bǐ rú shuō wǒ rèn shi yì duǒ huār tā shì zhè gè
运算更重要？再比如说，我认识一朵花儿，她是这个

shì jiè shang wéi yī de huār tā zhǐ shēng zhǎng zài wǒ nà gè xiǎo xiǎo de xīng qiú
世界上唯一的花儿，她只生长在我那个小小的星球

shang jiù shì zhè yàng yì duǒ huār yǒu yì tiān yì zhī xiǎo mián yáng hú li hú
上。就是这样一朵花儿，有一天，一只小绵羊糊里糊

tu de bǎ tā gěi kěn guāng le nǐ shuō zhè bú shì yí jiàn fēi cháng yán zhòng de shì
涂地把她给啃光了，你说，这不是一件非常严重的事

qing ma
情吗？"

shuō zhè xiē de shí hou xiǎo wáng zǐ fēi cháng jī dòng jī dòng de mǎn liǎn tōng
说这些的时候，小王子非常激动，激动得满脸通

hóng tíng le yí xià tā yòu jiē zhe shuō dào
红。停了一下，他又接着说道：

rú guǒ yí gè rén ài shang le yì duǒ huār zhè duǒ huār shēng zhǎng zài
"如果一个人爱上了一朵花儿，这朵花儿生长在

千千万万星球中的一颗上面。这是一朵独一无二的花。当这个人抬起头仰望千千万万星星的时候,他的心里感到非常的幸福,因为他心里在想着:'我的那朵花就生长在其中的一颗星星上面……'这是怎么样的幸福啊!但是,如果一只绵羊突然把这朵花吃掉了,对这个人来说,就好像所有的星星一下子全都熄灭了!这难道不是非常严重的事情吗?!"

说到这里,小王子再也说不下去了,竟然抽抽噎噎地哭起来。

这时候,太阳已经落山,夜色笼罩了整个沙漠。我扔下手中的工具,扔下锤子、螺丝钉什么的,同时把饥渴和死亡也全都抛在脑后。别的什么都不值得一提,我只知道,在一颗星球上,在我居住的这颗行星上,也就是在地球上,有一个小王子,他太需要安慰了!

我跑过去把他抱在怀里,紧紧地抱着他,轻轻地摇动着他,对他低声耳语:"放心吧,我的朋友,你喜爱的那朵花儿不会有危险的……我给你的小绵羊画一个嚼子……我再给你的花儿画一圈篱笆墙……我……"

wǒ bù zhī dào gāi shuō xiē shén me　　　wǒ cóng lái méi yǒu xiàng xiàn zài zhè yàng bèn
我不知道该说些什么，我从来没有像现在这样笨

zuǐ zhuō shé　　wǒ bù zhī dào zěn yàng cái néng ān wèi tā　　zěn yàng cái néng hé tā zài qíng
嘴拙舌。我不知道怎样才能安慰他，怎样才能和他在情

gǎn shang jiāo liú gōu tōng　　　　wǒ zhǐ shì kàn dào le tā de yǎn lèi　　tā de lèi shuǐ
感上交流沟通……我只是看到了他的眼泪，他的泪水

chōng mǎn le shén mì
充满了神秘。

第八章

小王子的眼泪是为一朵花儿流的，那是怎样一朵花儿呢？

不久，我就有机会了解了这朵花儿的来历。

原来，在小王子的星球上，一直都有花儿生长的。但是，那是一种单层花瓣的花，特别单薄，特别简单。而且这种花儿也很小，她们几乎不占什么地方，也从来不去打扰任何人。

清早，她们在草丛中开放，绽放着美丽；夜晚，她们

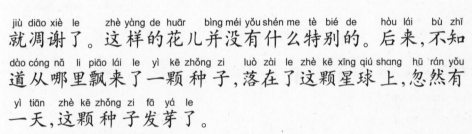

就凋谢了。这样的花儿并没有什么特别的。后来，不知
道从哪里飘来了一颗种子，落在了这颗星球上，忽然有
一天，这颗种子发芽了。

小王子特别小心地监视着这棵小苗，因为她与众
不同，说不定是猴面包树的新品种。小王子仔细地观
察着，这棵小苗不像猴面包树苗，没长多高的时候就不
再向上长了，而且在枝头生出一个花骨朵。小小的花
骨朵慢慢长大，长成一个巨大的花蕾。看着这个花蕾，
小王子的心里充满了喜悦，他感觉到从这个花蕾中一
定会绽放出十分美丽的花朵。

可是，那朵花却并不急着绽放，她躲藏在那绿莹莹的房间里，花了很长时间来打扮自己。她精心地为自己的将来选择颜色，慢条斯理地梳妆着，一片一片地为自己搭配花瓣。她可不愿意像那些虞美人一样，一出世就带着满脸的皱纹，她要让自己带着耀眼的光芒来到世间。她是那么的爱美，爱俏，她反复细致地梳妆打扮花费了好几天的时间。然后，一天清晨，正好在太阳冉冉升起的刹那，她绽放出灿烂的容颜。

尽管已经打扮得十分精致了，她却打着哈欠说：

"哦，我刚刚睡醒……实在对不起……瞧，我的发型都弄乱了……"

小王子看到她，情不自禁地赞叹道：

"您真是太美丽了！"

"是吗？"花儿温柔地说，"那是因为我是和太阳一起出生的……"

小王子看得出来，这花儿并不十分谦虚，可是，她确实是美丽动人。

"我想，现在该是吃早饭的时候了，"花儿接着说，"你

bú huì wàng jì gěi wǒ zhǔn bèi yì diǎnr shén me ba
不会忘记给我准备一点儿什么吧……"

xiǎo wáng zǐ jué de bù hǎo yì si sì hū yīng gāi yóu tā tí chū zǎo fàn shén me
小王子觉得不好意思，似乎应该由他提出早饭什么

de cái hé shì yú shì xiǎo wáng zǐ jiù zhǎo lái pēn hú dǎ lái le yì hú qīng liàng
的才合适。于是，小王子就找来喷壶，打来了一壶清亮

liàng de shuǐ bǎ zhè zhū huā jiāo guàn le yí biàn
亮的水，把这株花浇灌了一遍。

xiǎo wáng zǐ hé zhè duǒ huā de jiāo wǎng jiù zhè yàng kāi shǐ le
小王子和这朵花的交往就这样开始了。

zhè huār què shí bú gòu qiān xùn méi guò duō jiǔ tā jiù xiǎn shì chū jiāo dī dī
这花儿确实不够谦逊，没过多久，她就显示出娇滴滴

de xū róng xīn zhè ràng xiǎo wáng zǐ fēi cháng nán guò
的虚荣心，这让小王子非常难过。

bǐ rú yǒu yì tiān tā duì xiǎo wáng zǐ jiǎng qǐ tā shēn shang zhǎng de sì méi
比如，有一天，她对小王子讲起她身上长的四枚

cì tā kuā zhāng de shuō
刺，她夸张地说：

lái ba dà lǎo hǔ zhāng zhe tā de zhuǎ zi
"来吧,大老虎,张着他的爪子

lái ba wǒ zhè li yǒu cì děng zhe tā ne
来吧! 我这里有刺等着他呢!"

kě shì zài wǒ zhè gè xīng qiú shang
"可是,在我这个星球上

gēn běn jiù méi yǒu lǎo hǔ xiǎo wáng
根本就没有老虎,"小王

zǐ fǎn bó shuō ér qiě lǎo hǔ yě
子反驳说,"而且,老虎也

bú huì chī cǎo de
不会吃草的。"

huār xì shēng xì qì de shuō
花儿细声细气地说:

kě wǒ bú shì cǎo
"可我不是草。"

duì bu qǐ
"对不起……"

wǒ bìng bú hài pà shén me lǎo hǔ kě shì wǒ tǎo yàn chuān táng fēng wǒ shòu
"我并不害怕什么老虎,可是我讨厌穿堂风。我受

bu liǎo fēng chuī nǐ yǒu méi yǒu píng fēng
不了风吹……你有没有屏风?"

tǎo yàn chuān táng fēng xiǎo wáng zǐ xīn li xiǎng yì zhū zhí wù zěn me
"讨厌穿堂风……"小王子心里想,"一株植物怎么

huì yǒu zhè yàng de máo bìng zhè duǒ huār kě zhēn bù hǎo cì hou
会有这样的毛病……这朵花儿可真不好伺候……"

wǎn shang nǐ děi hǎo hāor zhào gù wǒ nǐ děi gěi wǒ zhào shang yí gè bō li
"晚上你得好好儿照顾我,你得给我罩上一个玻璃

zhào zi yīn wèi zhè gè dì fang tài lěng zhù zài zhè lǐ wǒ kě zhēn shòu bu liǎo nǐ
罩子,因为这个地方太冷。住在这里我可真受不了,你

zhī dào wǒ yuán lái zhù de nà gè dì fang
知道,我原来住的那个地方……"

huār méi yǒu jì xù shuō xia qu běn lái ma tā lái zhè lǐ de shí hou hái
花儿没有继续说下去。本来嘛,她来这里的时候还

shì yí lì zhǒng zi tā zěn me kě néng zhī dào wài bian de yí qiè tā biān zào de zhè
是一粒种子,她怎么可能知道外边的一切! 她编造的这

个谎话真是不大高明，让人一下子就能揭穿。花儿也意识到了这一点，尴尬地咳嗽了两三声。她假装咳嗽并不是为了认错，而是想让小王子觉得理亏。

"我要的屏风呢？"

"我正要去拿，可是你一直在跟我说话……"

花儿又使劲干咳了几声，她想让小王子知道他的过错很严重。

这样一来，小王子心里沉甸甸的。本来，小王子诚心诚意地喜爱这朵花，可是，在这一瞬间，小王子对花儿产生了怀疑。小王子是那样一种人，即使是一些无关紧要的话，也足以使他敏感，何况他是那样看重这朵花儿，看重花儿所说的一切。小王子敏感的内心给

他增添了许多烦恼。

有一天,小王子对我说:"我不该听信她的话。"

"人怎么能去听信那些花儿说的话!花儿是做什么用的?花儿是用来欣赏的。看看她的容貌、嗅嗅她的花香,就足够了。我的那朵花使我的星球充满香气,可是,我却不会享受这种花香。花儿跟我讲什么老虎爪子的故事,本来是为了让我感动,可是没想到反而使我恼火……"

小王子还告诉我:

"那时候,我什么都不懂!本来,我判断她的情感应该依据她的所作所为,可我却根据她所说的话加以判断。她为我绽放,给我芬芳,使我的生活充满光彩。我真不该离开她跑了出来。我本来应该体会到,在她那些并不高明的花招后面,隐藏着许多柔情蜜意。花儿本身就是这么自相矛盾的!可惜,我那时候太年轻,还不懂得爱护她。"

第九章

据我估计，小王子是利用一群候鸟迁徙的机会离开他的星球的。

离开的那天早上，小王子把他的星球好好儿收拾了一遍。他仔细地打扫了他的活火山——他的星球上一共有两座活火山，所以早上很方便热早点。他还有一座死火山。小王子认为，死火山可能不是真正的"死"了，说不定它还会活过来。小王子把火山打扫得干干净净，这样一来，火山就可以缓慢而有规律地燃烧，而不会突然喷发了。火山喷发就像烟囱里突然冒出来火焰一样，给人们带来灾害。当然，在地球上，我们人类个子太

xiǎo，méi yǒu bàn fǎ qīng lǐ huǒ shān，zhǐ
小，没有办法清理火山，只

néng tīng rèn huǒ shān gěi wǒ men dài lái hěn
能听任火山给我们带来很

duō hěn duō má fan
多很多麻烦。

lín zǒu de shí hou，xiǎo wáng zǐ
临走的时候，小王子

bá chú le shèng xià de zuì
拔除了剩下的最

hòu jǐ kē hóu miàn bāo shù
后几棵猴面包树

yòu miáo。tā gǎn dào
幼苗。他感到

xīn li yǒu diǎn yōu
心里有点忧

shāng，yīn wèi，tā
伤，因为，他

yǐ wéi tā zài yě
以为他再也

bú huì huí dào tā
不会回到他

de xīng qiú le。suǒ
的星球了。所

yǐ，tā zuò nà xiē
以，他做那些

píng rì li xí yǐ wéi cháng de shì qing de shí hou，jué de tè bié qīn qiè。tā zuì hòu
平日里习以为常的事情的时候，觉得特别亲切。他最后

yí cì gěi tā de huār jiāo shuǐ，rán hòu zhǔn bèi yòng bō li zhào zi gěi tā zhào qi
一次给他的花儿浇水，然后准备用玻璃罩子给她罩起

lai。zhè shí hou，tā tū rán fā xiàn zì jǐ jìng rán xiǎng yào liú yǎn lèi
来。这时候，他突然发现自己竟然想要流眼泪。

zài jiàn ba。tā duì huār shuō
"再见吧。"他对花儿说。

kě shì，huār méi yǒu huí dá
可是，花儿没有回答。

"再见吧。"他又重复了一遍。

花儿咳嗽起来,当然,花儿并没有感冒。

花儿终于开口说话了:

"我以前怎么那么傻呢……请你原谅我吧。我希望你能快乐。"

小王子感到非常惊讶,因为花儿对他没有丝毫的抱怨。他手里举着玻璃罩子,站在那里不知道怎么办才好。他实在不明白,花儿为什么会这样温柔。

"我要告诉你,我爱你。"花儿轻柔地说,"这一点你一直不知道,当然,这是由于我的过错造成的。现在,这些已经不重要了。不过,你也和我一样傻呢!……好了,我只能祝你幸福……把那个玻璃罩子放到一边去吧,我再也用不着它了。"

"可是,要是风来了……"

"我的感冒并不怎么厉害……而且,夜晚的清新空气对我会有好处的。我是一朵花儿嘛!"

"要是有虫子或者野兽来了呢?"

"我听说过这样的道理,要想结识蝴蝶,就得先忍受两三只毛毛虫的叮咬。据说毛毛虫变成蝴蝶也是非常美丽的。你要到远方去了，还有谁来看望我呢？至于那些野兽，我不怕他们，因为我也有爪子。"

说着，她露出茎上的四枚尖刺给小王子看，她的神态是那么的天真可爱。

随后，她接着说道：

"别那么愁眉苦脸的，让人看着心里难受。你既然决定要离开这里，那就快点儿走吧！"

花儿可不愿意让小王子看见她在流眼泪，这是一朵多么自尊的花儿啊……

第十章

dì shí zhāng

离开自己的星球之后，小王子在附近的宇宙中游

荡。这里有325号、326号、327号、328号、329号和

330号小行星。为了给自己找点儿事情做，也为了长

长见识，小王子开始访问这些星球。

在他访问的第一颗星球，也就是

325号小行星，上面住着一位国王。这

位国王穿着银灰色的貂皮长袍，

端坐在一个非常简单却

又非常威严的紫红色宝

座上。

当他看到小王子走

过来时，大声喊道：

"瞧啊，来了一个臣

55

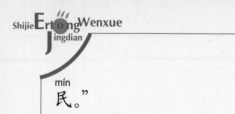

mín
民。"

xiǎo wáng zǐ xīn li xiǎng　tā cóng lái dōu méi yǒu jiàn guo wǒ　zěn me huì rèn shi
小王子心里想："他从来都没有见过我，怎么会认识

wǒ ne
我呢？"

xiǎo wáng zǐ nǎ lǐ zhī dào　zài guó wáng de yǎn li　zhè gè shì jiè fēi cháng jiǎn
小王子哪里知道，在国王的眼里，这个世界非常简

dān　tiān xià suǒ yǒu de rén dōu shì guó wáng de chén mín
单，天下所有的人都是国王的臣民。

zhè wèi guó wáng shén qì shí zú　yīn wèi tā zhōng yú yǒu le yí gè chén mín
这位国王神气十足，因为他终于有了一个臣民。

tā duì xiǎo wáng zǐ shuō　kào jìn diǎn ràng wǒ zǐ xì kàn kan nǐ
他对小王子说："靠近点，让我仔细看看你。"

xiǎo wáng zǐ huán gù sì zhōu　xiǎng zhǎo gè dì fang zuò xia lai　kě shì zhěng gè
小王子环顾四周，想找个地方坐下来，可是，整个

xīng qiú dōu bèi guó wáng de háo huá diāo pí cháng páo zhàn mǎn le　xiǎo wáng zǐ zhǐ hǎo zhàn
星球都被国王的豪华貂皮长袍占满了。小王子只好站

zài nà li　yóu yú yí lù shang bēn bō fēi cháng xīn kǔ　xiǎo wáng zǐ lèi le　rěn bu
在那里。由于一路上奔波非常辛苦，小王子累了，忍不

zhù dǎ le yí gè hā qian
住打了一个哈欠。

guó wáng kàn dào le　duì tā shuō　nǐ zài yí
国王看到了，对他说："你在一

gè guó wáng miàn qián dǎ hā qian　wéi fǎn le gōng tíng lǐ
个国王面前打哈欠，违反了宫廷礼

节。我禁止你打哈欠。"

小王子不好意思地说:"我实在是忍不住了。我跑了很远的路来到这里,好久没有睡觉了。"

国王听了,说:"既然这样,我命令你打哈欠。我已经好久没有见过人打哈欠了。对我来说,打哈欠倒是一件新鲜事。好了,来呀,再打个哈欠!这是国王的命令。"

"这……这叫我非常紧张……我打不出来了……"小王子涨红了脸。

"哼!哼!"国王说,"那么,我……我的命令是,你一会儿打一个哈欠,一会儿不打哈欠……"

国王嘴里嘟嘟囔囔的,看样子很不高兴。

在国王看来,最重要的是他的权威,他的权威不能被动摇。国王不能容忍有人不听从他的命令。这是一个真正的国王,他相信国王的权威至高无上。

当然,这位国王还是一个心地善良的国王,他认为他所下达的命令都是合乎情理的。

他经常这样说:"如果我命令一位将军变成一只海鸟,而这位将军拒绝服从命令,那么,这就不是那位将

57

jūn de guò cuò　ér shì wǒ běn rén de guò cuò
军的过错，而是我本人的过错。"

nǐ kàn　zhè wèi guó wáng shì duō me tōng qíng dá lǐ
你看，这位国王是多么通情达理。

xiǎo wáng zǐ xiǎo xīn yì yì de shì tàn zhe wèn　wǒ kě yǐ zuò xia ma
小王子小心翼翼地试探着问："我可以坐下吗？"

guó wáng huí dá　wǒ mìng lìng nǐ zuò xia　yì biān shuō zhe　guó wáng yì biān
国王回答："我命令你坐下。"一边说着，国王一边

wēi yán de bǎ tā nà háo huá diāo pí cháng páo de dà jīn nuó dòng le yí xià
威严地把他那豪华貂皮长袍的大襟挪动了一下。

xiǎo wáng zǐ zài guó wáng duì miàn zuò le xia lai　tā fēi cháng hào qí　zhè me
小王子在国王对面坐了下来。他非常好奇，这么

xiǎo de yí gè xīng qiú　zhè wèi guó wáng jiū jìng zài tǒng zhì yì xiē shén me ne
小的一个星球，这位国王究竟在统治一些什么呢？

yú shì　tā duì guó wáng shuō　bì xià　qǐng nín yuán liàng wǒ xiǎng tí gè
于是，他对国王说："陛下……请您原谅，我想提个

wèn tí
问题……"

guó wáng jí máng qiǎng guò huà tou shuō　wǒ mìng lìng nǐ xiàng wǒ tí wèn tí
国王急忙抢过话头说："我命令你向我提问题。"

wǒ xiǎng zhī dào bì xià　nín dào dǐ tǒng zhì shén me ne
"我想知道，陛下……您到底统治什么呢？"

guó wáng de huí dá jí qí jiǎn dān míng liǎo　wǒ tǒng zhì yí qiè
国王的回答极其简单明了："我统治一切。"

tǒng zhì yí qiè
"统治一切？"

国王抬了一下手指，指了指他自己的星球、其他的星球，还有天空中所有的星星。

小王子问："统治这所有的一切吗？"

"是的，统治这一切。"

原来他不仅是这个星球上的绝对统治者，而且是整个宇宙的绝对统治者。

"那么，那些星星都服从您的命令吗？"

"当然！"国王对他说，"我一声令下，它们就立刻服从。如有违抗，我绝不轻饶！"

真了不起，这么大的权力令小王子敬佩。如果小王子也掌握了这样的权力，那么，他就可以随心所欲地看日落，一天不只是看四十三次，而是看七十二次，甚至一百次或者二百次，而且，根本不需要挪动他的椅子！小王子突然想起了被自己遗弃在那里的小星球，心里有点儿难过，于是，他鼓足勇气，向国王提出了一个请求：

"我想看看日落……请求您……请您命令太阳落山吧……那样，我就太高兴了……"

国王说："请你想一想，如果我命令一位将军，让他像只蝴蝶一样，从这朵花飞到那朵花上去；如果我命令他写出一个悲剧剧本，或者变成一只海鸟，那位将军拒绝执行我的命令，你说，这是谁的错？是他的，还是我的？"

"当然是您的错。"小王子肯定地回答。

"完全正确。"国王接着说，"向别人提出的要求应该是他们所能做到的事情。权威首先应该建立在理智的基础之上。如果你命令你的臣民去投海自尽，他们就一定会起来造反。我之所以有权力要求别人服从我，正因为我的

mìng lìng shì hé qíng hé lǐ de
命令是合情合理的。"

nà me wǒ qǐng qiú kàn rì luò de shì qing ne xiǎo wáng zǐ tí chū wèn tí
"那么,我请求看日落的事情呢?"小王子提出问题

zhī hòu shì bú huì wàng jì zhè gè wèn tí de
之后,是不会忘记这个问题的。

nǐ dāng rán kě yǐ kàn dào rì luò wǒ yí dìng huì ràng tài yáng luò shān de bú
"你当然可以看到日落,我一定会让太阳落山的。不

guò àn zhào wǒ de tǒng zhì jīng yàn wǒ huì zài tiáo jiàn chéng shú de shí hou gěi nǐ kàn
过,按照我的统治经验,我会在条件成熟的时候给你看

rì luò
日落。"

xiǎo wáng zǐ wèn nà yào děng dào shén me
小王子问:"那要等到什么

shí hou ne
时候呢?"

ng zhè gè ma guó
"嗯……这个嘛……"国

wáng zài huí dá wèn tí zhī qián xiān fān
王在回答问题之前,先翻

yuè le yì běn hòu hòu de rì lì zuǐ li
阅了一本厚厚的日历,嘴里

màn màn shuō dào ng rì luò dà
慢慢说道,"嗯! 日落,大

yuē dà yuē zài jīn tiān
约……大约……在今天

晚上七点四十分,那时候你会看到太阳是多么服从我的命令。"

小王子又打了个哈欠。因为没有看到日落,他感到很扫兴,也觉得很无聊。"我在这里没事可做,"他对国王说,"我得走了。"

"不要走啊!"这位国王刚刚得到了一个臣民,还正在得意,怎么能放小王子走呢?"不要走。我任命你做大臣。"

"做什么大臣?"

"嗯……就做司法大臣!"

"可是,这里没有一个可以让我审判的人。"

"那可说不定。"国王说道,"你看,我已经很老了,一走路就累,因此我还没有巡视过我的王国呢!"

"可是,我已经看过

啦。"小王子说着，探身朝星球的那一边看了看，"那边也没有一个人呀……"

"不然，你可以审判你自己。"国王说，"这可是最难做的事情了。你知道，审判自己比审判别人要难得多啊！你如果能审判好你自己，你就是一个真正有智慧的人。"

"我呀，我随便在什么地方都可以认真地审视自己，我为什么非要留在你这里呢？"

"嗯……这个嘛……"国王又说，"我想起来了，在我星球上的什么地方，有一只非常老的老鼠。夜里，我经常听到他出来活动。你可以审判这只老鼠，你可以判他死刑，他的性命就交给你主宰。但是你要注意，每次判他死刑之后，都要赦免他。因为这里只有这一只老鼠。"

"可是，我根本不喜欢判死刑，"小王子回答说，"我想我应该走了。"

"我不批准。"国王说。

但是小王子还是做好了离开的准备。离开之前，小

王子不想使老国王难过，就对国王说：

"如果国王陛下希望所有人都照您的命令办事，您可以给我下一个合情合理的命令。比如说，您命令我一分钟之内必须离开您的星球。我想现在执行这个命令的条件是成熟的……"

可是国王什么话也不说。小王子犹豫了一会儿，最后，叹了口气，就毅然出发了……

"我任命你做我的大使——"国王连忙朝小王子喊道。

说这话的时候，国王又摆出一副至高无上的模样。

"这些大人们可真奇怪。"小王子一边走，一边想。

dì shí yī zhāng
第十一章

bù jiǔ xiǎo wáng zǐ lái dào le dì èr kē xīng qiú hào xiǎo xíng xīng zhè
不久，小王子来到了第二颗星球326号小行星。这

kē xīng qiú shang zhù zhe yí gè ài mù xū róng de rén
颗星球上住着一个爱慕虚荣的人。

āi yō qiáo qiao yí gè chóng bài wǒ de rén lái bài fǎng wǒ le fā
"哎哟！瞧瞧！一个崇拜我的人来拜访我了！"发

xiàn xiǎo wáng zǐ zhè gè ài mù xū róng de rén lǎo yuǎn jiù jiào hǎn qǐ lai
现小王子，这个爱慕虚荣的人老远就叫喊起来。

zài nà xiē ài mù xū róng de rén yǎn li suǒ yǒu de rén dōu shì tā men de chóng
在那些爱慕虚荣的人眼里，所有的人都是他们的崇

bài zhě
拜者。

nǐ hǎo xiǎo wáng zǐ gēn
"你好！"小王子跟

tā dǎ zhāo hu yí nǐ de mào
他打招呼，"咦，你的帽

zi zhēn qí guài ya
子真奇怪呀！"

zhè shì zhuān mén yòng lái
"这是专门用来

xiàng rén zhì yì de ài mù xū róng
向人致意的。"爱慕虚荣

de rén huí dá shuō dāng rén men cháo
的人回答说，"当人们朝

wǒ huān hū de shí hou wǒ jiù tuō
我欢呼的时候，我就脱

65

下帽子向他们致意。不过很可惜，从来没有一个人从这里经过。"

小王子不大明白他的意思。"啊？致意是什么意思？"

爱慕虚荣的人向小王子提了一个建议："你可以用一只手去拍另一只手。"

小王子试着把两只手拍在一起，连续地拍。

这时候，这位爱慕虚荣的人把他的帽子摘下来，做出一副谦逊的样子，挥动帽子向小王子致意。

小王子心里想："这比在那位国王那里好玩多了。"

于是，小王子又拍起手来。爱慕虚荣的人又举起帽子，向小王子致意。

就这样持续了五分

钟，之后，小王子就厌倦了这种无聊的把戏。他问那人：

"我想让你把帽子放下来，该怎么做？"

可是，爱慕虚荣的人根本听不进去他说的话，除了赞美和颂扬的话，他别的什么话也听不进去。

他问小王子："你真的崇拜我吗？"

"崇拜是什么意思？"

"崇拜呀，就是你认为，我是这个星球上最英俊的人，服饰最华丽的人，最有钱的人，最聪明的人。"

"可是，这个星球上只有你一个人啊！"

"为了使我高兴，你还是崇拜我吧！"

"我崇拜你，"小王子

一边说，一边轻轻地

耸了耸肩膀，"可是，

这对你难道就那么重

要吗？"

于是，小王子离开了那颗星球。

一路上，小王子一直在想："这些大人，真是十分奇怪。"

小王子拜访的第三颗星球是327号小行星，这个星球上住着一个酒鬼。这次的拜访非常短暂，但是却使小王子非常忧伤。

"你在这里做什么呢？"小王子问酒鬼，这个酒鬼只是默默地坐在那里，旁边摆着一堆酒瓶子，有的装着酒，有的是空的。

"我在喝酒呢。"酒鬼脸色阴沉地回答。

"那你为什么喝酒？"小王子问道。

"为了忘却。"酒鬼回答。

小王子已经有点可怜这个酒鬼了。他继续问："你要忘却什么？"

酒鬼低下了头，十分羞愧地说："忘却我的羞耻。"

小王子很想帮助他，就诚恳地问："什么事使你感

dào xiū chǐ
到羞耻？”

hē jiǔ shǐ wǒ gǎn dào xiū chǐ　　shuō wán zhè jù huà　　jiǔ guǐ jiù zài yě bù
“喝酒使我感到羞耻。”说完这句话，酒鬼就再也不

kāi kǒu le
开口了。

xiǎo wáng zǐ mí huò bù jiě de lí kāi le zhè kē xīng qiú
小王子迷惑不解地离开了这颗星球。

yí lù shang xiǎo wáng zǐ yì zhí zài xiǎng　　zhè xiē dà rén　shí zài shì tài qí
一路上，小王子一直在想：“这些大人，实在是太奇

guài le
怪了。”

第十二章

小王子来到第四颗星球——328号小行星,这颗星球上住着一个商人。这个人整天忙得不可开交,因此,当小王子到来的时候,他连头都没有抬一下。

"你好。"小王子跟他打招呼,"你瞧,你的香烟已经熄灭了。"

商人正在算账:"三加二等于五。五加七等于十二。十二加三等于十五。你好。十五加七,二十二。二十二加六,二十八。我没有时间再去点烟。二十六加五,三十一。哎呀! 一共是五亿一百六十二万二千七百三十一。"

小王子很奇怪:"五亿一百多万什么东西呀?"

"哦? 你怎么还待在这儿呢? 五亿一百多万……我也不记得是什么东西了。我的工作很忙……我是一个

fēi cháng yán sù rèn zhēn de rén wǒ kě cóng lái méi yǒu gōng fu hé nǐ liáo xián tiān
非常严肃认真的人，我可从来没有工夫和你聊闲天！

èr jiā wǔ děng yú qī
二加五等于七……"

wǔ yì yī bǎi duō wàn shén me dōng xi ya xiǎo wáng zǐ chóng fù tā de wèn
"五亿一百多万什么东西呀？"小王子重复他的问

tí xiǎo wáng zǐ shì yí gè zhí zhuó de rén yí dàn tí chū le yí gè wèn tí cóng
题。小王子是一个执著的人，一旦提出了一个问题，从

lái bù kěn qīng yì fàng qì
来不肯轻易放弃。

zhè wèi shāng rén cóng tā de zhàng běn shang tái qǐ le tóu duì xiǎo wáng zǐ shuō
这位商人从他的账本上抬起了头，对小王子说：

wǒ jū zhù zài zhè gè xīng qiú yǐ jīng wǔ shí sì nián zhè xiē nián yǐ lái wǒ
"我居住在这个星球已经五十四年，这些年以来，我

zhǐ bèi dǎ jiǎo guò sān cì dì yī cì shì zài èr shí èr nián qián bù zhī dào cóng nǎ
只被打搅过三次。第一次是在二十二年前，不知道从哪

lǐ pǎo lái yì zhī jīn guī zǐ tā fā chū yì zhǒng kě pà de zào yīn chǎo de wǒ jū
里跑来一只金龟子，他发出一种可怕的噪音，吵得我居

rán zài yì bǐ zhàng mù zhōng chū le sì gè chā cuò dì èr cì shì zài shí yī nián qián
然在一笔账目中出了四个差错。第二次是在十一年前，

71

wǒ de fēng shī bìng fā zuò
我的风湿病发作，
zhè shì yīn wèi wǒ quē fá duàn liàn yīn
这是因为我缺乏锻炼，因
wèi wǒ méi yǒu gōng fu xián liū da wǒ shì yí gè fēi
为我没有工夫闲溜达。我是一个非
cháng yán sù rèn zhēn de rén wǒ rèn zhēn duì dài zì jǐ de gōng zuò
常严肃认真的人，我认真对待自己的工作。
xiàn zài fā shēng le dì sān cì wǒ gāng cái jì suàn de jié guǒ shì wǔ yì yī
现在……发生了第三次！我刚才计算的结果是五亿一
bǎi liù shí èr wàn
百六十二万……”

wǔ yì yī bǎi liù shí èr wàn gè shén me xiǎo wáng zǐ jiān chí tā de
“五亿一百六十二万个什么？”小王子坚持他的
wèn tí
问题。

zhè wèi shāng rén zhōng yú zhī dào le rú guǒ tā bù huí dá zhè gè wèn tí tā
这位商人终于知道了，如果他不回答这个问题，他
jiù wú fǎ dé dào ān níng yú shì tā huí dá shuō
就无法得到安宁。于是，他回答说：

wǔ yì yī bǎi liù shí èr wàn gè xiǎo dōng xi zhè xiē xiǎo dōng xi shí bu shí
“五亿一百六十二万个小东西，这些小东西时不时
chū xiàn zài tiān kōng zhōng
出现在天空中。”

shì cāng ying ma
“是苍蝇吗？”

bù shì yì xiē jīn huáng sè de xiǎo dōng xi
“不，是一些金黄色的小东西。”

nà shì mì fēng ma
“那是蜜蜂吗？”

bú shì shì yì xiē shǎn shǎn fā liàng de xiǎo dōng xi zhè xiē xiǎo dōng xi zhǐ
“不是，是一些闪闪发亮的小东西。这些小东西只
huì jiào nà xiē yóu shǒu hào xián de rén hú sī luàn xiǎng wǒ shì gè fēi cháng yán sù rèn
会叫那些游手好闲的人胡思乱想。我是个非常严肃认

zhēn de rén　　wǒ kě méi yǒu shí jiān hú　sī luàn xiǎng
真的人,我可没有时间胡思乱 想。"

　　　　à　　wǒ zhī dào le　　nà shì xīng xing
"啊,我知道了,那是星星!"

　　　duì　　jiù shì xīng xing
"对,就是星星。"

　　nǐ　dǎ suàn yòng wǔ　yì　kē xīng xing zuò shén me
"你打算 用五亿颗星星做什么?"

　　shì wǔ　yì　yī bǎi liù shí èr wàn qī bǎi sān shí yī kē xīng xing　　wǒ shì yí
"是五亿一百六十二万七百三十一颗星星。我是一

gè fēi cháng yán sù rèn zhēn de rén　　wǒ de　jì suàn shì fēi cháng jīng què de
个非常严肃认真的人,我的计算是非常精确的。"

　　　nà　nǐ zhǔn bèi yòng zhè xiē xīng xing zuò shén me
"那你准备用这些星星做什么?"

　　　wǒ yào tā men zuò shén me
"我要它们做什么?"

　　　shì ya　　zuò shén me
"是呀,做什么?"

　　　wǒ shén me yě bú zuò　　wǒ zhǐ shì yōng yǒu tā men
"我什么也不做,我只是拥有它们。"

　　　nǐ yōng yǒu nà　xiē xīng xing
"你拥有那些星星?"

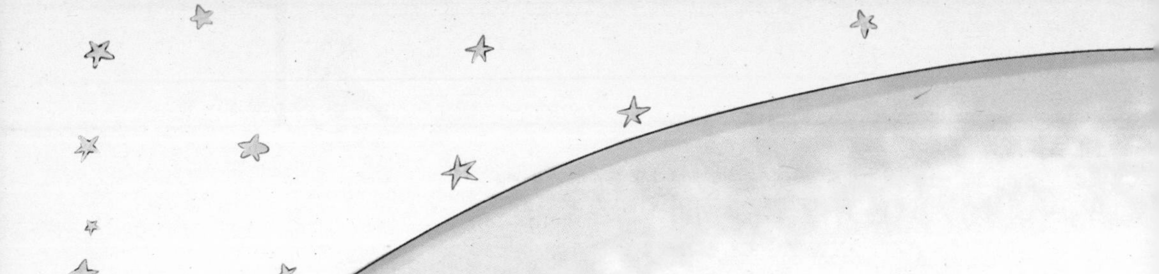

shì de
“是的。”

kě shì wǒ céng jīng yù dào yí wèi
“可是，我曾经遇到一位

guó wáng tā shuō tā
国王，他说他……”

guó wáng bìng bù yōng yǒu xīng xing tā zhǐ shì jìn xíng
“国王并不拥有星星，他只是进行

tǒng zhì zhè wán quán shì liǎng mǎ shì
‘统治’。这完全是两码事。”

nà me nǐ yōng yǒu zhè xiē xīng xing yòu néng zuò shén me ne
“那么，你拥有这些星星又能做什么呢？”

shǐ wǒ fā cái zhì fù
“使我发财致富。”

fā cái zhì fù yòu yǒu shén me yòng ne
“发财致富又有什么用呢？”

fù le jiù kě yǐ qù mǎi xīng xing rú guǒ yǒu rén fā xiàn le xīn de xīng xing
“富了就可以去买星星，如果有人发现了新的星星，

wǒ jiù bǎ tā men mǎi xia lai
我就把它们买下来。”

xiǎo wáng zǐ xīn li xiǎng zhè gè rén sī kǎo wèn tí de fāng shì gēn nà gè jiǔ
小王子心里想：“这个人思考问题的方式跟那个酒

guǐ chà bu duō
鬼差不多。”

xiǎo wáng zǐ yòu yǒu le xīn de wèn tí tā wèn shāng rén
小王子又有了新的问题，他问商人：

rén zěn me qù yōng yǒu xīng xing ne
“人怎么去拥有星星呢？”

rén bù néng yōng yǒu nà nǐ shuō nà xiē xīng xing dōu shǔ yú shéi ya shāng
“人不能拥有，那你说那些星星都属于谁呀？”商

rén yǒu diǎn bù gāo xìng fǎn wèn le xiǎo wáng zǐ yí jù
人有点不高兴，反问了小王子一句。

shǔ yú shéi wǒ bù zhī dào kǒng pà bù shǔ yú rèn hé rén
“属于谁我不知道，恐怕不属于任何人。”

"既然它们不属于

任何人，那么，它们就是我的了，因

为，我是第一个想到这件事情的人。"

"想到就可以吗？"

"那是理所当然的。如果你发现了一颗钻石，它任

何人都不属于，于是，这颗钻石就属于你了。如果你发现

一个岛屿，这个岛屿也不属于任何人，那么，这个岛屿就

是你的了。因此，如果你首先产生了一种稀奇古怪的

想法，那你就赶快去申请一个专利证，这个稀奇古怪的

想法自然就是属于你的。既然在我之前没有任何人想

到要拥有这些星星，那么，我就可以拥有这些星星。"

"你说的话也有一定道理，"小王子说，"可是，你拿

这些星星来做什么呢？"

"我负责管理这些星星。"商人说，"我一遍又一遍地

数它们，计算它们的数量。这是一件难度非常大的工

作，但是我不怕，因为我是一个非常严肃认真的人！"

小王子对这样的回答并不满意，他继续说：

"我理解的拥有跟你不一样。如果我有一条围巾，我可以把它围在脖子上，我可以围着我的围巾随便走到哪里去。如果我有一朵花，我可以把它摘下来，拿着我的花随便去什么地方。可是，你根本不能把你的星星摘下来。"

"我是不能摘下来，但是我可以把它们存放在银行里。"

"这话是什么意思呢？"

"我的意思就是，我把这些星星的数量写在一张小纸片上，然后把这张纸片锁在一个抽屉里面。"

"锁起来就算完事了吗？"

"锁起来就行了。"

"真有意思！"小王子想，"这种做法倒是蛮有诗意的，可是，这也算不上什么了不起的正经事儿。"

到底什么才是了不起的正经事儿，小王子的想法与大人们截然不同。

"我来告诉你，"小王子对商人说，"我拥有一朵花，我每天都给花儿浇水。我还拥有三座火山，我每星期把它们全都打扫一遍，连那座死火山也要打扫，因为不知

道它会不会再复活。我拥有花儿和火山，我会为我的
花儿和火山做事情，我对它们是有用处的。可是你，你
对那些星星一点用处也没有……"

听了小王子的话，商人张大嘴巴，一句话也说不出
来。就在这个时候，小王子离开了。

一路上，小王子一直在想："这些大人们，真是奇怪
极了。"

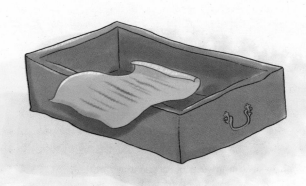

第十三章

小王子去第五颗行星拜访，第五颗星球是329号小行星。

这颗星球非常奇怪，它是所有行星中最小的一颗，星球上刚好能放得下一盏路灯和一个点路灯的人。小王子怎么也弄不明白，在这个孤零零坐落在天空某一角落的星球上，既没有房屋也没有居民，它要一盏路灯和一个点路灯的人究竟有什么用处。

于是小王子自己猜想："大概这个人思维不大正常。但是，比起前面遇到的国王，比起那个爱慕虚荣的人，还有酒鬼和商人，他一定要好得多。至少他的工作还有一些意义。当他把他的路灯点着的时候，他就为整个天空增添了一颗星星，或者是一朵盛开的花。当他把他的路灯熄灭的时候，就好像他让星星或者花朵睡

着了。他这个工作挺有意思的，有意思的事情，才会真正有价值。"

因此，小王子刚一到这颗星球上，就恭恭敬敬地向点路灯的人打招呼：

"早上好。——请问，你刚才为什么把路灯熄灭了呢？"

"早上好。——因为这是执行命令。"点路灯的人回答。

"命令是什么呀？"

"命令，就是要我熄掉我的路灯。——晚上好。"

说着，他又点燃了路灯。

"可是，你为什么又把它点着了呢？"

"这是执行命令。"点路灯的人回答。

"我弄不明白了。"小王子说。

"这没什么好弄明白的，命令就是命令。"点路灯的
人回答说，"早上好。"

说着，他又熄灭了路灯。然后，他拿出一块儿红格
子手绢擦着额头，额头上都是汗珠。

"干我这一行可真够不容易的。以前的日子还说得
过去，早上我把路灯熄灭，晚上再把路灯点燃，白天有

休息的时间，夜里有睡觉的时间……"

"那后来，命令怎么就变了呢？"

"命令倒是没有变，"点路灯的人说，"惨就惨在命令没有变！这个星球转得一年比一年快，可是命令却没有改变。"

"那现在怎么样呢？"小王子问。

"现在，这个星球每分钟就转一圈，我连一秒钟的休息时间都没有，每分钟我都要点一次灯，熄一次灯！"

"哈哈，真有意思，你这里一天只有一分钟那么长吗？"

"一点儿意思也没有，"点路灯的人说，"我们俩站在这里说话的工夫，时间已经过去了一个月了。"

"一个月啦？"

"是的。三十分钟就是三十天！——晚上好。"

于是，点路灯的人又把他的路灯点燃。

小王子望着这个人，他禁不住喜欢上了这个忠于职守的人。这时候，他突然想起了从前在自己的星球上，挪动椅子追着看日落的事情。对了，也许可以帮助

这位可爱的朋友。

"我告诉你，"小王子对点路灯的人说，"如果你愿意……我有一个办法，可以让你想什么时候休息就什么时候休息。"

"我总是想休息呢。"点路灯的人说。

看来，忠于职守的人也可能会有偷懒的想法的，事实就是这样。

小王子告诉他：

"你的星球这么小，你走三步就可以绕它一周。你只要朝着太阳慢慢地走，就可以一直在太阳的照耀下。你想休息的时候，你就可以这样走……随便你走多久，你要白天有多长它就有多长。"

"可是，你这办法解决不了什么问题，"

diǎn lù dēng de rén shuō　　nǐ zhī dào　wǒ yì shēng zhōng zuì xiàng wǎng de　jiù　shì tǎng xia
点路灯的人说，"你知道，我一生 中最向 往的就 是躺下

lai shuì jiào
来睡觉。"

nà zhēn yí hàn　wǒ bāng bù liǎo nǐ　xiǎo wáng zǐ shuō
"那真遗憾，我帮不了你。"小王子说。

zhēn yí hàn　wǒ yě méi yǒu bàn fǎ　diǎn dēng rén shuō　zǎo shang hǎo
"真遗憾，我也没有办法。"点灯人说，"早上好。"

yú shì　tā yòu bǎ　lù dēng xī miè le
于是，他又把路灯熄灭了。

xiǎo wáng zǐ huái zhe yí hàn lí kāi le zhè gè xīng qiú　zài tā jì xù lǚ xíng de
小王子怀着遗憾离开了这个星球，在他继续旅行的

lù tú shang　xiǎo wáng zǐ xīn li yì
路途上，小王子心里一

zhí zài xiǎng
直在想：

zhè gè diǎn lù dēng de rén
"这个点路灯的人

yě xǔ huì bèi bié rén miè shì　bǐ
也许会被别人蔑视，比

rú nà gè guó wáng　ài mù xū róng
如那个国王、爱慕虚荣

de rén　jiǔ guǐ hái yǒu shāng rén
的人、酒鬼还有 商人，

tā men kěn dìng dōu qiáo bu qǐ tā
他们肯定都瞧不起他。

kě shì　zhè gè rén què shì wǒ jiàn
可是，这个人却是我见

过的人当中唯一不让我觉得荒唐可笑的人。这是什么原因呢？可能因为他做事情的时候只考虑忠于职守，却没有为自己谋取什么好处。"

小王子十分惋惜地叹了口气，然后对自己说：

"这个人是我见过的唯一一个可以成为朋友的人。遗憾的是，他的星球实在太小了，完全住不下两个人。"

其实，小王子潜意识里没有说出来的理由是：他格外留恋这颗令人赞美的星球，特别是因为，在那颗星球上，每二十四小时就有一千四百四十次日落！

第十四章

第十四章

小王子来到了第六颗星球——320号小行星。这颗星球比第五颗星球要大上十倍。它上面住着一位老先生,老先生正在写一部长篇巨著。

"啊!一位学者到来了!"老先生看到小王子时,大声叫了起来。

小王子来到老先生的桌旁坐下,还有点儿气喘吁吁,因为他跑了好多好多路。

"告诉我,你是从哪里来的?"老先生问小王子。

"你这么大的厚本子是什么书啊？你一个人在这里干什么呢？"小王子问老先生。

"我是一个地理学家。"老先生回答。

"那，什么是地理学家？"

"地理学家是一种专门的学问家，他知道哪里有海洋，哪里有江河，哪里有城市、山脉和沙漠。"

"真有意思啊！"小王子说，"这才是一种正经的职业！"

小王子朝四周看了看，看看地理学家居住的这颗星球，他还从来没有见过如此宏伟壮观的星球。

小王子禁不住赞叹起来："你的星球真美啊！这里

有大海吗？"

"这个，我可不知道。"地理学家回答。

"哦！"小王子有点失望。"那么，这里有山脉吗？"

"这个，我怎么能知道。"地理学家回答。

"那么，这里有城市、河流和沙漠吗？"

"这个，这个，我全都不知道。"地理学家说。

"可是，刚刚你告诉我，你是地理学家！"

"一点儿不错，我是地理学家，"地理学家说，"但是，我不是勘察家。现在，我手下连一个勘察家都没有。地理学家是干什么的？他不是去统计有多少城市，多少河流、山脉、海洋和沙漠的。地理学家很重要，他不能出去到处跑，不能离开他的办公室。但是，地理学家可以在办公室里接见勘察家。他倾听勘察家的报告，把勘察家对自然的讲述记录下来。如果他认为其中有个勘察家的记录值得重视，那么，他就得对这个勘察家的人品进行一番调查。"

"这是为什么呢？"小王子问。

"这是因为，如果一个勘察家说了谎话，那么，他就

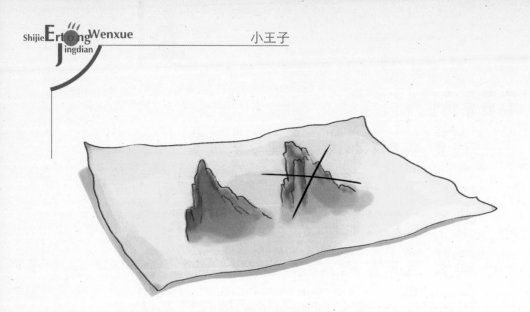

会给地理学家的著作带来灾难性的后果。同样，一个总是喝得醉醺醺的勘察家也是这样。"

"这又是为什么？"

"这是因为，喝醉酒的人会把一个看成两个，那么，按照他们的介绍，地理学家就在只有一座山的地方标注上了两座山。"

"我认识一个人，"小王子说，"要是让他来勘察的话，他肯定不是一个很好的勘察家。"

"这是很有可能的。因此，当一个勘察家道德品行得到很高评价时，人们才会去核查他的发现。"

"是到现场去查看吗？"

"不是，那样太费事了，地理学家忙不过来。我要求

kān chá jiā tí chū tā men de zhèng jù lái bǐ rú tā shuō tā fā xiàn le yí zuò dà
勘察家提出他们的证据来。比如,他说他发现了一座大

shān wǒ jiù yāo qiú tā bǎ shān shang de dà shí tou dài yì xiē huí lai
山,我就要求他把山上的大石头带一些回来。"

dì lǐ xué jiā hū rán xīng fèn qǐ lai
地理学家忽然兴奋起来。

nǐ jiù shì nǐ nǐ shì cóng yáo yuǎn de dì fang lái de nǐ jiù shì yí
"你,就是你。你是从遥远的地方来的。你就是一

gè kān chá jiā kuài nǐ lái gěi wǒ miáo shù miáo shù nǐ nà gè xīng qiú ba
个勘察家!快!你来给我描述描述你那个星球吧!"

shuō huà de tóng shí dì lǐ xué jiā yǐ jīng dǎ kāi le tā de jì lù běn xiāo hǎo
说话的同时,地理学家已经打开了他的记录本,削好

le tā de qiān bǐ yì bān qíng kuàng xia tā dōu shì xiān yòng qiān bǐ jì xià kān chá
了他的铅笔。一般情况下,他都是先用铅笔记下勘察

jiā de xù shù děng kān chá jiā ná lái le zhèng jù yǐ hòu zài yòng mò shuǐ bǐ xiě dào
家的叙述,等勘察家拿来了证据以后,再用墨水笔写到

tā de shū li qu
他的书里去。

zěn me yàng kě yǐ kāi shǐ jiǎng le ma dì lǐ xué jiā wèn dào
"怎么样,可以开始讲了吗?"地理学家问道。

à wǒ de xīng qiú ya xiǎo wáng zǐ shuō qí shí tā hěn xiǎo hěn xiǎo
"啊!我的星球呀,"小王子说,"其实它很小很小,

méi yǒu shén me kě xiě de wǒ yǒu sān zuò huǒ shān liǎng zuò shì huó huǒ shān yí zuò
没有什么可写的。我有三座火山,两座是活火山,一座

是死火山。不过也很难说，谁知道它以后会不会再喷发。"

"这谁也说不准。"地理学家说道。

"我还有一株花儿。"

"地理学家是不记载花卉的。"他说。

"这是为什么？花儿是世界上最美丽的东西。"

"这是因为，花卉是转瞬即逝的东西。"

"你说'转瞬即逝'是什么意思？"

"地理学著作是所有图书中最严谨的书，最有价值的书。"地理学家说，"这类书是永远不会过时的。你听说过一座大山改变了位置吗？你听说过一个海洋干涸了吗？我们就是要记录永恒的东西。"

"但是，熄灭的火山也可能还会喷发的。"小王子打断了地理学家的话，"你说'转瞬即逝'是什么意思？"

"火山是熄灭了的也好，还是喷发着的也好，这对我们地理学家来说都是一回事。"地理学家说，"对我们来说，关键是山。我们只记载山，山的位置是不会变化的。"

"但是，你还没有说，'转瞬即逝'到底是什么意思？"小王子再一次提问。他一旦提出一个问题，得不

dào huí dá shì bú huì bà xiū de
到回答是不会罢休的。

zhuǎn shùn jí shì de yì si jiù shì hěn kuài jiù huì xiāo shī de
"'转 瞬即逝'的意思就是:很快就会消失的。"

nǐ shì shuō wǒ de huār hěn kuài jiù huì xiāo shī ma
"你是说,我的花儿很快就会消失吗? "

shì de
"是的。"

wǒ de huār hěn kuài jiù huì xiāo shī le xiǎo wáng zǐ zài xīn li shuō tā
"我的花儿很快就会消失了,"小王子在心里说,"她

nà me róu ruò miàn duì zhè gè shì jiè zhǐ yǒu sì méi cì lái bǎo hù zì jǐ kě
那么柔弱,面对这个世界,只有四枚刺来保护自己! 可

shì wǒ jìng rán bǎ tā yí gè rén liú zài jiā li le
是,我竟然把她一个人留在家里了! "

dì yī cì píng shēng dì yī cì xiǎo wáng zǐ wèi zì jǐ de xíng wéi gǎn dào hòu
第一次,平生第一次,小王子为自己的行为感到后

huǐ   kě shì   tā hái shi gǔ qǐ yǒng qì wèn dì lǐ xué jiā   nǐ néng gào su wǒ
悔。可是，他还是鼓起勇气问地理学家，"你能告诉我，

wǒ hái yīng gāi dào nǎ li qù kàn kan ma
我还应该到哪里去看看吗？"

qù kàn kan dì qiú ba   dì lǐ xué jiā shuō   dì qiú shì yì kē fēi cháng
"去看看地球吧！"地理学家说，"地球是一颗非常

yǒu míng wàng de xīng qiú
有名望的星球……"

yú shì   xiǎo wáng zǐ jiù qǐ chéng cháo dì qiú ér lái   tā yì biān zǒu yì biān diàn
于是，小王子就启程朝地球而来，他一边走一边惦

niàn zhe tā de huār
念着他的花儿。

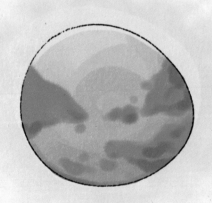

第十五章
dì shí wǔ zhāng

xiǎo wáng zǐ lái dào de dì qī kē xíng xīng jiù shì wǒ men zhè gè dì qiú
小王子来到的第七颗行星，就是我们这个地球。

zhè gè dì qiú kě bú shì yì kē pǔ pu tōng tōng de xīng qiú zài tā shàng
这个地球可不是一颗普普通通的星球！在它上

miàn yǒu yì bǎi yī shí yī gè guó wáng dāng rán zhè shì bǎ fēi zhōu de hēi rén guó wáng
面，有一百一十一个国王（当然，这是把非洲的黑人国王

yě jì suàn zài nèi de shù zì yǒu qī qiān gè dì lǐ xué jiā yǒu jiǔ shí wàn gè shāng
也计算在内的数字），有七千个地理学家，有九十万个商

rén hái yǒu qī bǎi wǔ shí wàn gè jiǔ guǐ hé sān yì yī qiān yī bǎi wàn gè ài mù xū
人，还有七百五十万个酒鬼和三亿一千一百万个爱慕虚

róng de rén jiǎn dān de shuō dì qiú shang dà yuē yǒu èr shí yì chéng nián rén
荣的人，简单地说，地球上大约有二十亿成年人。

nǐ men kě néng duì dì qiú de dà xiǎo hái méi yǒu yí gè míng què de gài niàn wǒ
你们可能对地球的大小还没有一个明确的概念，我

lái gào su nǐ men zài diàn hái méi yǒu fā míng zhī qián zài dì qiú liù gè dà zhōu de
来告诉你们：在电还没有发明之前，在地球六个大洲的

土地上，为了每天点燃路灯，一共有四十六万两千五百一十一个人在从事点灯工作。这么多的点灯人，排起队伍来要多长呢？

从离开地球稍远的地方望过去，点燃路灯是一个非常壮丽辉煌的画面。这点灯人的大军行动起来，就像舞蹈演员在舞台上表演芭蕾舞一样，动作规范，有

条不紊。首先出场的是新西兰和澳大利亚的点灯人。他们把灯点着之后，就回家睡觉去了。接着轮到了中国和西伯利亚的点灯人出场，工作完成之后，他们也躲到幕后去了。于是，轮到俄罗斯和印度的点灯人了，然

hòu jiù shì fēi zhōu hé ōu zhōu de diǎn dēng rén　zài hòu miàn shì nán měi zhōu de　zài zài
后就是非洲和欧洲的点灯人,再后面是南美洲的,再再

hòu miàn shì běi měi zhōu de　diǎn dēng rén cóng lái bú huì gǎo cuò tā men de chū chǎng cì
后面是北美洲的。点灯人从来不会搞错他们的出场次

xù　zhè shì duō me liǎo bu qǐ de shì qing a
序,这是多么了不起的事情啊!

běi jí nà gè dì fang zhǐ yǒu yí gè diǎn dēng rén　nán jí yě zhǐ yǒu yí gè
北极那个地方只有一个点灯人,南极也只有一个。

tā men liǎng gè guò zhe yōu xián　lǎn sǎn de shēng huó　bǐ tā men de tóng háng qīng sōng duō
他们两个过着悠闲、懒散的生活,比他们的同行轻松多

le　zhè shì yīn wèi tā men měi nián zhǐ xū yào gōng zuò liǎng cì
了,这是因为他们每年只需要工作两次。

dāng yí gè rén xiǎng bǎ huà shuō de fēng qù yōu mò yì diǎn　tā jiù nán miǎn gěi rén
当一个人想把话说得风趣幽默一点,他就难免给人

bú dà shí zài de yìn xiàng　gāng cái wǒ zài gěi nǐ men jiǎng diǎn dēng rén de shí hou
不大实在的印象。刚才我在给你们讲点灯人的时候,

jiù bú shì nà me shí shi zài zài de　wǒ de nà zhǒng jiǎng shù fāng shì　hěn kě néng gěi
就不是那么实实在在的,我的那种讲述方式,很可能给

bú dà liǎo jiě wǒ men zhè gè xīng qiú de rén liú xià cuò wù de yìn xiàng　qí shí　zài
不大了解我们这个星球的人留下错误的印象。其实,在

dì qiú shang　rén lèi suǒ zhàn jù de dì pán hé kōng jiān shì fēi cháng yǒu xiàn de　wǒ
地球上,人类所占据的地盘和空间是非常有限的。我

men lái jiǎ shè yí xià　rú guǒ shēng huó zài dì qiú shang de zhè èr shí yì jū mín　jiù
们来假设一下,如果生活在地球上的这二十亿居民,就

像我们在操场上开会那样，全都笔直地挨着个儿站在一起的话，那么，一个三十三千米见方的广场就可以容纳下他们。这也就是说，完全可以把地球上的所有人类放到太平洋中的一个小岛上去。

当然，如果你这么说，大人们是不会相信的。他们自以为是地认为，他们需要占很大很大的地盘，他们把自己看成是一棵猴面包树，已经大到了了不起。不过，你可以建议他们去计算一下，他们喜欢数字计算这种方式。计算一下就完全清楚了。不过你们就不要浪费时间去计算了，计算是非常乏味的事情。

我们还是来说我们的小王子。

小王子来到地球之后感到非常奇怪，因为他一个人也没有看到，他正在担心自己是不是走错了星球的时候，发现有一个金光闪闪的圆环在沙地上蠕动。

小王子不知道该不

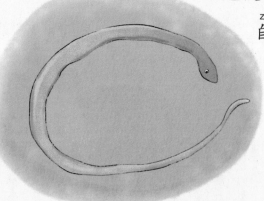

该跟圆环打招呼，便犹犹豫豫地说："晚上好。"

"晚上好。"原来圆环是一条蛇，蛇很有礼貌地回答了小王子的问候。

"请问，我这是落在哪一颗星球上了？"小王子问蛇。

"这里是地球，地球上的非洲。"蛇回答道。

"啊！……难道，难道说，地球上没有人吗？"

"这里是沙漠，沙漠里当然没有人。地球是很大很大的。"蛇告诉他。

小王子在一块儿石头上坐了下来，抬起头仰望天空，轻声说：

"我时常在想，这些星星在天空闪闪发亮，是不是为了让每一个人在未来的某一天，都能重新找到属于自己的那颗星球。你看，我那颗星球，这会儿正好在我们头顶上……可是，它离我们是多么遥远啊！"

"你的星球真美丽。"蛇说，"可是，你来这里干什么呢？"

"我和我的花儿闹了别扭。"小王子说。

ò shì zhè yàng a shé shuō dào
"哦！是这样啊！"蛇说道。

jiē zhe tā men dōu chén mò bù yǔ le
接着，他们都沉默不语了。

néng gào su wǒ rén dōu zài shén me dì fang ma xiǎo wáng zǐ zhōng yú dǎ
"能告诉我，人都在什么地方吗？"小王子终于打

pò le chén mò zài shā mò shang wǒ gǎn jué yǒu diǎn gū dān
破了沉默，"在沙漠上，我感觉有点孤单……"

kě shì dào le yǒu rén de dì fang nǐ hái huì gǎn dào gū dān shé shuō
"可是，到了有人的地方，你还会感到孤单。"蛇说。

xiǎo wáng zǐ dīng zhe zhè shé kàn le hǎo jiǔ rán hòu shuō
小王子盯着这蛇看了好久，然后说：

nǐ kě zhēn shì yí gè qí guài de dòng wù xì de xiàng yì gēn shǒu zhǐ yí
"你可真是一个奇怪的动物，细得像一根手指一

yàng
样……"

"可是，我比一个国王的手指更有威力呢。"蛇说道。

小王子笑了，他说：

"你能有什么威力……你甚至连脚都没有……恐怕你都不能去旅行……"

"是吗？告诉你，我可以把你运到很远很远的地方去，比一只大船 能去的地方还要远呢。"蛇说。

说完，蛇就缠绕在了小王子的脚腕子上，好像一只金镯子。

"凡是被我的身体接触过的人，我都会把他们送回老家去。"蛇接着说，"可是，你是纯洁的人，而且，你从另一个

99

xīng qiú shang lái
星球上来……"

xiǎo wáng zǐ shén me yě méi yǒu shuō
小王子什么也没有说。

zài zhè gè xiàng huā gāng yán yí yàng jiān yìng de dì qiú shang nǐ xiǎn de zhè me
"在这个像花岗岩一样坚硬的地球上，你显得这么

miǎo xiǎo zhè me róu ruò wǒ fēi cháng kě lián nǐ rú guǒ nǎ yì tiān nǐ fēi cháng huái
渺小，这么柔弱，我非常可怜你。如果哪一天你非常怀

niàn nǐ de nà kē xīng qiú wǒ kě yǐ bāng zhù nǐ wǒ kě yǐ
念你的那颗星球，我可以帮助你，我可以……"

ò wǒ wán quán míng bai le nǐ de yì si xiǎo wáng zǐ shuō dàn shì
"哦！我完全明白了你的意思。"小王子说，"但是，

wǒ bù míng bai de shì wèi shén me nǐ shuō huà zǒng xiàng shì ràng rén cāi mí yǔ shì
我不明白的是，为什么你说话总像是让人猜谜语似

de
的？"

wǒ huì dào pò suǒ yǒu de mí dǐ zài shì dàng de shí hou shé shuō
"我会道破所有的谜底，在适当的时候。"蛇说。

shuō wán tā men liǎng gè yòu dōu chén mò qi lai
说完，他们两个又都沉默起来。

dì shí liù zhāng

第十六章

xiǎo wáng zǐ zài shā mò li chuān xíng　　tā yù dào le yì duǒ huār　　　zhè shì
小王子在沙漠里穿行，他遇到了一朵花儿。这是

yì duǒ zhǐ yǒu sān gè huā bàn de huār　　　yì duǒ bù qǐ yǎnr　 de xiǎo huār
一朵只有三个花瓣的花儿，一朵不起眼儿的小花儿……

nǐ hǎo a　　　xiǎo wáng zǐ gēn huār　 dǎ zhāo hu
"你好啊！"小王子跟花儿打招呼。

nǐ hǎo　　huār　 huí dá shuō
"你好。"花儿回答说。

nǐ zhī dào rén dōu zài shén me dì fang ma　　　xiǎo wáng zǐ yǒu lǐ mào de wèn
"你知道人都在什么地方吗？"小王子有礼貌地问。

这朵花儿还真的看到过人。有一天，她看见一个骆驼商队从面前走过。

"你是问人吗？人是有的，大约有六七个，几年前，我正好看见他们。可是，谁也不知道该到哪里找他们，风把他们吹得到处跑。你知道，他们没有根，这是很糟糕的事情，他们不会在一个地方扎下根来。"

"那么，再见了。"小王子说。

"再见吧。"花儿说。

小王子爬上一座高山。

过去在他的星球上，小王子所见过的山，只有他膝盖那么高的三座火山，那座熄灭了的火山还经常被他当做凳子来坐。小王子在爬地球山的时候想："登上这么高的山，站在山顶上，我一眼就可以看遍整个星球，看到地球上所有的人。"

可是，等他爬上高山之后，他看到的只是

起伏的山峦、林立的山峰。

"你好啊!"小王子试探着发出问候。

"你好啊……你好啊……你好啊……"回答他的是一串回声。

"你是谁呀?"小王子好奇地问。

"你是谁呀……你是谁呀……你是谁呀……"回声这样回答他。

"请你做我的朋友吧,我很孤单。"小王子说。

"我很孤单……很孤单……孤单……"山谷中又响起一片回声。

"多么奇怪的星球啊!"小王子心里想,"到处是一片干旱,到处是坚硬的石头,空气里还有咸巴巴的味道,一点儿也不好玩儿。而且,这里的人们一点儿想象力也没有,他们只会重复别人说的话……在我的星球上,有一朵美丽的花儿。她总是首先开口跟我说话……"

小王子在地球上走啊走啊,穿过沙漠,翻过山崖,越过雪地,走了好久之后,小王子终于找到了一条大路。

你知道,所有大路都通往人类居住的地方。不久,小王子来到了一个花园。

"你们好啊!"小王子发出问候。

这里盛开着好多好多玫瑰花。

"你好。"玫瑰花齐声回答。

小王子走到近处,仔细端详这些玫瑰花,他发现,她们和自己那朵花儿一模一样。小王子非常惊奇。

"你们是什么花儿啊?"小王子问。

"我们是玫瑰花。"花儿们回答。

"啊!玫瑰花……"小王子呆住了。

没有什么比满园的玫瑰花更让小王子伤心的了。

因为,在他的星球上,他的那朵花儿曾经告诉他,他拥有的是整个宇宙里独一无二的花。可是,看看吧,仅仅在这一个花园里,就有至少五千朵同样的花儿,完完全全相同的花儿!

小王子心里想:"如果我的那朵花儿看到这些花儿,一定非常恼火……她肯定又要咳嗽了,很厉害地咳嗽,让人觉得她快要咳死了。她咳嗽其实是害怕别人耻笑她。而我呢,就得假装去护理她,因为如果我不这么做,她为了使我难堪,可能真的就死去了……"

小王子接着告诉自己:"我一直以为自己拥有一朵独一无二的花儿,整个宇宙中独一无二的花儿,其实,我拥有的只是一朵普普通通的花儿。这朵花儿,再加上三座火山,三座只有我膝盖那么高的火山,其中一座还是死火山——这一切,怎么能使我成为一个伟大的王子……"

想到这儿,小王子扑倒在草地上,呜呜咽咽地哭了起来。

第十七章
dì shí qī zhāng

就在小王子哭泣的时候，不知道从哪里跑来了一只狐狸。

"你好啊。"狐狸说。

"你好。"小王子一边彬彬有礼地答话，一边转过身来，看是谁在跟自己打招呼，可是他什么也没有看到。

"我在这儿呢，在苹果树底下。"那声音说。

"你是谁呀？"小王子说，"你真漂亮啊！"

"嘻嘻，我是一只狐狸。"狐狸回答。

"你来和我一起玩儿吧，"小王子提议，"我很郁闷，玩一会儿就好了……"

"可是，我不能和你玩儿，"狐狸说，"因为我是一只没有被驯养的狐狸。"

"哦！对不起，我的要求太过分了。"小王子说。

gāng shuō wán zhè jù huà xiǎo wáng zǐ yòu xiǎng qǐ le shén me
刚 说 完 这 句 话，小 王 子 又 想 起 了 什么。

nǐ gāng cái shuō xùn yǎng shì shén me yì si
"你 刚 才 说'驯 养'，是 什么 意思？"

kàn lái nǐ bú shì běn dì rén   hú li shuō   nǐ dào zhè lǐ lái gàn shén
"看 来 你 不 是 本 地 人。"狐 狸 说，"你 到 这 里 来 干 什

me
么？"

wǒ shì lái zhǎo rén de   xiǎo wáng zǐ shuō   nǐ gào su wǒ   xùn yǎng shì
"我 是 来 找 人 的。"小 王 子 说，"你 告 诉 我，'驯 养'是

shén me yì si
什么 意思？"

zhǎo rén   hú li shuō   wǒ zhī dào   rén yǒu liè qiāng   tā men hái huì dǎ
"找 人？"狐 狸 说，"我 知 道，人 有 猎 枪，他 们 还 会 打

liè   zhè xiē shì qing dōu fēi cháng tǎo yàn   rén yě yǒu kě qǔ zhī chù   nà jiù shì tā
猎，这 些 事 情 都 非 常 讨 厌！人 也 有 可 取 之 处，那 就 是 他

men yǎng jī   duì le   nǐ shì lái zhǎo jī de ma
们 养 鸡。对 了，你 是 来 找 鸡 的 吗？"

bù wǒ bù zhǎo jī   xiǎo wáng zǐ shuō   wǒ shì lái zhǎo péng you de   nǐ
"不，我 不 找 鸡，"小 王 子 说，"我 是 来 找 朋 友 的。你

shuō   xùn yǎng shì shén me yì si
说，'驯 养'是 什么 意思？"

nǐ zěn me hái wèn zhè gè wèn tí   zhè shì zǎo jiù bèi rén yí wàng de shì
"你 怎 么 还 问 这 个 问 题？这 是 早 就 被 人 遗 忘 的 事

情，"狐狸说，"它的意思就是'彼此信任'。"

"彼此信任？"

"就是这个意思。"狐狸说，"比如咱们两个，现在，对于我来说，你只是一个小男孩儿，就和其他千千万万的小男孩儿一样。我不关心你，你也不关心我。同样，对于你来说，我也不过是一只狐狸，和其他千千万万狐狸一样。但是，如果你驯养了我，我们两个就成了彼此不可缺少的伙伴。我在世界上只有你，而你在世界上只有我。"

"我好像有点儿明白了。"小王子说，"有这么一朵花儿……大概，她把我驯养了……"

"花儿也是可能的。"狐狸说，"这个世界上什么样

de shì qing dōu kě néng fā shēng
的事情都可能发生……"

ò bù zhè bú shì dì qiú shang fā shēng de shì xiǎo wáng zǐ shuō
"哦！不！这不是地球上发生的事。"小王子说。

hú li zhēng dà le jīng yà de yǎn jing nǐ de yì si shì zài lìng yí gè
狐狸睁大了惊讶的眼睛。"你的意思是，在另一个

xīng qiú shang
星球上？"

duì
"对！"

nà gè xīng qiú shang yǒu liè rén ma
"那个星球上有猎人吗？"

méi yǒu
"没有。"

zhè zhēn bú cuò nà me yǒu jī ma
"这真不错。那么，有鸡吗？"

méi yǒu
"没有。"

kàn lái shì qing méi yǒu shí quán shí měi hú li tàn le yì kǒu qì
"看来事情没有十全十美。"狐狸叹了一口气。

然后，狐狸又把话题拉了回来：

"我来给你讲讲我的生活。为了生存，我得抓鸡来吃，而猎人又来抓我。在我眼里，所有的鸡全都一模一样，全是用来吃的，所有的人也全都一模一样，全是跑来抓我的。这样的日子还有什么意思呢！我烦透了。但是，如果你驯养了我，我的生活就完全不一样了，那该有多么快乐啊！在你没有到来的时候，我等待你，我会辨别人们的脚步声，听到其他的脚步声响，我会躲到洞里去，等到你的脚步声响起，那与众不同的、像音乐一样的脚步声召唤我从洞里跑出来。你看见那边的麦田了吗？我从来不吃面包，麦子对我来说，一点用处也没有，不会激发我的半点情感。可是，认识了你就不一样了，因为你的头发是金黄色的，看见金黄的麦子，我就想起了你，这是多么美妙的事情啊，风吹麦浪沙沙的声响也会让我联想起你……"说到这里，狐狸停了下来，久久地凝望着小王子。

"请你——驯养我吧！"狐狸说。

"我很愿意驯养你。"小王子回答说，"可是，我在这里的时间不多。我还要去寻找朋友，还有许多事情要了解。"

"人们最可能了解的是他们驯养的东西。"狐狸说，"除此之外，人们没有时间去了解任何东西。人们总是去商店里购买现成的东西，可是，世界上还没有出售朋友的商店，所以，人们也就没有朋友。如果你想有一个朋友，那么，就请来驯养我吧！"

"可是，我该怎么驯养你呢？"小王子问。

"那你应该非常有耐心，因为驯养是一个相当长的过程。"狐狸

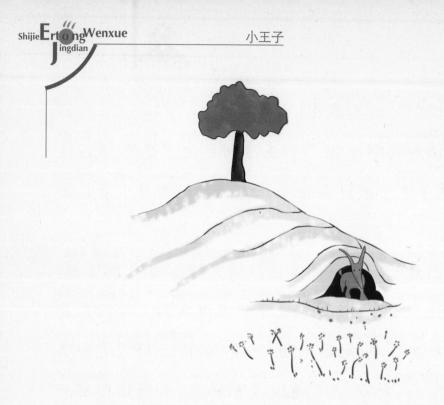

huí dá shuō　gāng yì kāi shǐ de shí hou　nǐ yào zuò zài lí wǒ shāo wēi yuǎn yì diǎnr
回答说,"刚一开始的时候,你要坐在离我稍微远一点儿

de cǎo dì shang wǒ ne　zhàn zài yuǎn chù　yòng yǎn jiǎo de yú guāng tōu tōu dǎ liang nǐ
的草地上。我呢,站在远处,用眼角的余光偷偷打量你。

nǐ shén me huà yě bú yào shuō　yīn wèi huà yǔ jīng cháng shì wù jiě de gēn yuán　zhè
你什么话也不要说,因为话语经常是误解的根源。这

zhī hòu　nǐ měi tiān dōu lái　měi tiān zuò de gèng kào jìn wǒ yì xiē
之后,你每天都来,每天坐得更靠近我一些……"

àn zhào hú li de yì si　dì èr tiān　xiǎo wáng zǐ yòu lái le
按照狐狸的意思,第二天,小王子又来了。

zhī dào ma　nǐ zuì hǎo zài tóng yí gè shí jiān lái zhè lǐ　hú li shuō　bǐ
"知道吗,你最好在同一个时间来这里。"狐狸说,"比

rú shuō　nǐ měi tiān xià wǔ sì diǎn zhōng lái　nà me　cóng sān diǎn zhōng qǐ　wǒ jiù kāi
如说,你每天下午四点钟来,那么,从三点钟起,我就开

shǐ gǎn dào xìng fú jiāng yào jiàng lín de zī wèi　shí jiān yuè shì lín jìn　wǒ de xìng fú
始感到幸福将要降临的滋味。时间越是临近,我的幸福

gǎn jiù yuè qiáng liè　dào le sì diǎn zhōng de shí hou　wǒ yǐ jīng zuò lì bù ān　liù
感就越强烈。到了四点钟的时候,我已经坐立不安,六

shén wú zhǔ　nà shí hou　wǒ huì gǎn jué dào xìng fú shì duō me zhēn guì a　dàn shì
神无主,那时候,我会感觉到幸福是多么珍贵啊。但是,

rú guǒ nǐ méi yǒu yuē dìng　suí biàn shén me shí hou jiù lái le　nà wǒ gāi zài shén me
如果你没有约定，随便什么时候就来了，那我该在什么

shí hou zhǔn bèi hǎo wǒ de xīn qíng ne　　　　nǐ zhī dào　zuò shì qing yīng gāi xíng chéng
时候准备好我的心情呢？……你知道，做事情应该形成

guī lù de
规律的。”

　　　　guī lù　shì shén me　　xiǎo wáng zǐ wèn
　　“'规律'是什么？”小王子问。

　　　zhè yě shì yì zhǒng zǎo jiù bèi rén yí wàng de dōng xi　hú li shuō　　tā
　　"这也是一种早就被人遗忘的东西。"狐狸说，"它

de hán yì shì　yào shǐ zhè yì tiān hé qí tā rì zi bù tóng　yào shǐ zhè yì shí kè hé
的含义是，要使这一天和其他日子不同，要使这一时刻和

qí tā shí kè bù tóng　bǐ rú shuō　zhuī bǔ wǒ de nà xiē liè rén men jiù yǒu yì zhǒng
其他时刻不同。比如说，追捕我的那些猎人们就有一种

guī lù　　tā men měi gè xīng qī sì dōu qù cūn li hé nǚ háir　men tiào wǔ　　yú
规律。他们每个星期四都去村里和女孩儿们跳舞。于

shì　xīng qī sì zhè yì tiān jiù chéng le měi hǎo de rì zi　zài zhè yì tiān　wǒ kě
是，星期四这一天就成了美好的日子！在这一天，我可

yǐ dào pú táo yuán li qù sàn bù　rú guǒ liè rén men méi yǒu yí gè gù dìng de shí jiān
以到葡萄园里去散步。如果猎人们没有一个固定的时间

qù tiào wǔ　nà duì wǒ lái shuō měi yì tiān dōu shì yí yàng de　yě jiù méi yǒu le nà
去跳舞，那对我来说，每一天都是一样的，也就没有了那

xiē měi hǎo de rì zi
些美好的日子。”

　　　　　　　jiù zhè yàng　àn zhào hú li de tí yì　xiǎo wáng zǐ
　　　　　　就这样，按照狐狸的提议，小王子

xùn yǎng le hú li　màn màn de　　tā men hù xiāng shú xī
驯养了狐狸。慢慢地，他们互相熟悉

<ruby>了<rt>le</rt></ruby>。可是，<ruby>终<rt>zhōng</rt></ruby><ruby>于<rt>yú</rt></ruby><ruby>有<rt>yǒu</rt></ruby><ruby>一<rt>yì</rt></ruby><ruby>天<rt>tiān</rt></ruby>，<ruby>小<rt>xiǎo</rt></ruby><ruby>王<rt>wáng</rt></ruby><ruby>子<rt>zǐ</rt></ruby><ruby>要<rt>yào</rt></ruby><ruby>离<rt>lí</rt></ruby><ruby>开<rt>kāi</rt></ruby><ruby>了<rt>le</rt></ruby>。

"<ruby>唉<rt>ài</rt></ruby>！"<ruby>狐<rt>hú</rt></ruby><ruby>狸<rt>li</rt></ruby><ruby>说<rt>shuō</rt></ruby>，"<ruby>你<rt>nǐ</rt></ruby><ruby>知<rt>zhī</rt></ruby><ruby>道<rt>dào</rt></ruby><ruby>我<rt>wǒ</rt></ruby><ruby>会<rt>huì</rt></ruby><ruby>哭<rt>kū</rt></ruby><ruby>的<rt>de</rt></ruby>。"

"<ruby>这<rt>zhè</rt></ruby><ruby>应<rt>yīng</rt></ruby><ruby>该<rt>gāi</rt></ruby><ruby>不<rt>bú</rt></ruby><ruby>是<rt>shì</rt></ruby><ruby>我<rt>wǒ</rt></ruby><ruby>的<rt>de</rt></ruby><ruby>过<rt>guò</rt></ruby><ruby>错<rt>cuò</rt></ruby>，"<ruby>小<rt>xiǎo</rt></ruby><ruby>王<rt>wáng</rt></ruby><ruby>子<rt>zǐ</rt></ruby><ruby>说<rt>shuō</rt></ruby>，"<ruby>我<rt>wǒ</rt></ruby><ruby>并<rt>bìng</rt></ruby><ruby>不<rt>bù</rt></ruby><ruby>想<rt>xiǎng</rt></ruby><ruby>给<rt>gěi</rt></ruby><ruby>你<rt>nǐ</rt></ruby><ruby>带<rt>dài</rt></ruby><ruby>来<rt>lái</rt></ruby><ruby>任<rt>rèn</rt></ruby><ruby>何<rt>hé</rt></ruby><ruby>痛<rt>tòng</rt></ruby><ruby>苦<rt>kǔ</rt></ruby>，<ruby>可<rt>kě</rt></ruby><ruby>是<rt>shì</rt></ruby><ruby>你<rt>nǐ</rt></ruby><ruby>却<rt>què</rt></ruby><ruby>要<rt>yào</rt></ruby><ruby>我<rt>wǒ</rt></ruby><ruby>驯<rt>xùn</rt></ruby><ruby>养<rt>yǎng</rt></ruby><ruby>你<rt>nǐ</rt></ruby>……"

"<ruby>是<rt>shì</rt></ruby><ruby>啊<rt>a</rt></ruby>，<ruby>是<rt>shì</rt></ruby><ruby>啊<rt>a</rt></ruby>！"<ruby>狐<rt>hú</rt></ruby><ruby>狸<rt>li</rt></ruby><ruby>说<rt>shuō</rt></ruby>。

"<ruby>可<rt>kě</rt></ruby><ruby>是<rt>shì</rt></ruby><ruby>现<rt>xiàn</rt></ruby><ruby>在<rt>zài</rt></ruby>，<ruby>你<rt>nǐ</rt></ruby><ruby>都<rt>dōu</rt></ruby><ruby>要<rt>yào</rt></ruby><ruby>哭<rt>kū</rt></ruby><ruby>了<rt>le</rt></ruby>！"<ruby>小<rt>xiǎo</rt></ruby><ruby>王<rt>wáng</rt></ruby><ruby>子<rt>zǐ</rt></ruby><ruby>说<rt>shuō</rt></ruby>。

"<ruby>当<rt>dāng</rt></ruby><ruby>然<rt>rán</rt></ruby><ruby>啦<rt>la</rt></ruby>。"<ruby>狐<rt>hú</rt></ruby><ruby>狸<rt>li</rt></ruby><ruby>说<rt>shuō</rt></ruby>。

"<ruby>你<rt>nǐ</rt></ruby><ruby>这<rt>zhè</rt></ruby><ruby>么<rt>me</rt></ruby><ruby>做<rt>zuò</rt></ruby>，<ruby>到<rt>dào</rt></ruby><ruby>底<rt>dǐ</rt></ruby><ruby>得<rt>dé</rt></ruby><ruby>到<rt>dào</rt></ruby><ruby>了<rt>le</rt></ruby><ruby>什<rt>shén</rt></ruby><ruby>么<rt>me</rt></ruby><ruby>好<rt>hǎo</rt></ruby><ruby>处<rt>chù</rt></ruby>？"

"<ruby>我<rt>wǒ</rt></ruby><ruby>得<rt>dé</rt></ruby><ruby>到<rt>dào</rt></ruby><ruby>了<rt>le</rt></ruby>，<ruby>我<rt>wǒ</rt></ruby><ruby>得<rt>dé</rt></ruby><ruby>到<rt>dào</rt></ruby><ruby>了<rt>le</rt></ruby><ruby>麦<rt>mài</rt></ruby><ruby>子<rt>zi</rt></ruby><ruby>成<rt>chéng</rt></ruby><ruby>熟<rt>shú</rt></ruby><ruby>的<rt>de</rt></ruby><ruby>颜<rt>yán</rt></ruby><ruby>色<rt>sè</rt></ruby>。"<ruby>狐<rt>hú</rt></ruby><ruby>狸<rt>li</rt></ruby><ruby>说<rt>shuō</rt></ruby>。

<ruby>停<rt>tíng</rt></ruby><ruby>了<rt>le</rt></ruby><ruby>一<rt>yí</rt></ruby><ruby>下<rt>xià</rt></ruby>，<ruby>狐<rt>hú</rt></ruby><ruby>狸<rt>li</rt></ruby><ruby>接<rt>jiē</rt></ruby><ruby>着<rt>zhe</rt></ruby><ruby>说<rt>shuō</rt></ruby>：

"<ruby>请<rt>qǐng</rt></ruby><ruby>再<rt>zài</rt></ruby><ruby>去<rt>qù</rt></ruby><ruby>看<rt>kàn</rt></ruby><ruby>看<rt>kan</rt></ruby><ruby>那<rt>nà</rt></ruby><ruby>些<rt>xiē</rt></ruby><ruby>玫<rt>méi</rt></ruby><ruby>瑰<rt>gui</rt></ruby><ruby>花<rt>huā</rt></ruby><ruby>吧<rt>ba</rt></ruby>！<ruby>看<rt>kàn</rt></ruby><ruby>了<rt>le</rt></ruby><ruby>之<rt>zhī</rt></ruby><ruby>后<rt>hòu</rt></ruby>，<ruby>你<rt>nǐ</rt></ruby><ruby>就<rt>jiù</rt></ruby><ruby>会<rt>huì</rt></ruby><ruby>明<rt>míng</rt></ruby><ruby>白<rt>bai</rt></ruby>，<ruby>你<rt>nǐ</rt></ruby><ruby>星<rt>xīng</rt></ruby><ruby>球<rt>qiú</rt></ruby><ruby>上<rt>shang</rt></ruby><ruby>的<rt>de</rt></ruby><ruby>那<rt>nà</rt></ruby><ruby>朵<rt>duǒ</rt></ruby><ruby>玫<rt>méi</rt></ruby><ruby>瑰<rt>gui</rt></ruby><ruby>是<rt>shì</rt></ruby><ruby>整<rt>zhěng</rt></ruby><ruby>个<rt>gè</rt></ruby><ruby>宇<rt>yǔ</rt></ruby><ruby>宙<rt>zhòu</rt></ruby><ruby>里<rt>li</rt></ruby><ruby>独<rt>dú</rt></ruby><ruby>一<rt>yī</rt></ruby><ruby>无<rt>wú</rt></ruby><ruby>二<rt>èr</rt></ruby><ruby>的<rt>de</rt></ruby><ruby>花<rt>huā</rt></ruby><ruby>儿<rt>r</rt></ruby>。<ruby>看<rt>kàn</rt></ruby><ruby>完<rt>wán</rt></ruby><ruby>玫<rt>méi</rt></ruby><ruby>瑰<rt>gui</rt></ruby><ruby>花<rt>huā</rt></ruby><ruby>你<rt>nǐ</rt></ruby><ruby>再<rt>zài</rt></ruby><ruby>回<rt>huí</rt></ruby><ruby>来<rt>lái</rt></ruby><ruby>和<rt>hé</rt></ruby><ruby>我<rt>wǒ</rt></ruby><ruby>告<rt>gào</rt></ruby><ruby>别<rt>bié</rt></ruby>，<ruby>我<rt>wǒ</rt></ruby><ruby>会<rt>huì</rt></ruby><ruby>送<rt>sòng</rt></ruby><ruby>给<rt>gěi</rt></ruby><ruby>你<rt>nǐ</rt></ruby><ruby>一<rt>yí</rt></ruby><ruby>个<rt>gè</rt></ruby><ruby>秘<rt>mì</rt></ruby><ruby>密<rt>mì</rt></ruby><ruby>做<rt>zuò</rt></ruby><ruby>为<rt>wéi</rt></ruby><ruby>礼<rt>lǐ</rt></ruby><ruby>物<rt>wù</rt></ruby>。"

xiǎo wáng zǐ tīng cóng hú li de jiàn yì　qù hé nà xiē méi gui huā gào bié
小王子听从狐狸的建议,去和那些玫瑰花告别。

nǐ men dí què yì diǎn yě bú xiàng wǒ de nà duǒ méi gui huā　zǐ xì duān xiáng
"你们的确一点也不像我的那朵玫瑰花。"仔细端详

zhī hòu　xiǎo wáng zǐ duì nà xiē méi gui huā shuō　nǐ men méi yǒu bèi xùn yǎng guò　nǐ
之后,小王子对那些玫瑰花说,"你们没有被驯养过,你

men yě méi yǒu xùn yǎng guò bié de rén　nǐ men jiù xiàng wǒ de hú li guò qù nà gè
们也没有驯养过别的人。你们就像我的狐狸过去那个

yàng zi　nà shí hou　tā zhǐ shì yì zhī hé qiān qiān wàn wàn hú li　yí yàng de hú li
样子,那时候,她只是一只和千千万万狐狸一样的狐狸。

dàn shì　xiàn zài　wǒ yǐ jīng bǎ tā dàng chéng le zì jǐ de péng you　yú shì　tā jiù
但是,现在,我已经把她当成了自己的朋友,于是,她就

chéng le shì jiè shang dú yī wú èr de hú li
成了世界上独一无二的狐狸。"

méi gui huā tīng le xiǎo wáng zǐ de huà　gǎn dào fēi cháng nán guò
玫瑰花听了小王子的话,感到非常难过。

nǐ men suī rán měi lì　dàn shì nǐ men nèi xīn kōng xū　xiǎo wáng zǐ jiē zhe
"你们虽然美丽,但是你们内心空虚。"小王子接着

duì tā men shuō　méi yǒu rén huì wèi nǐ men ér sǐ　dāng rán la　yí gè pǔ tōng de
对她们说,"没有人会为你们而死。当然啦,一个普通的

guò lù rén kàn dào wǒ de nà duǒ méi gui huā　yí dìng yǐ wéi tā gēn nǐ men yí yàng
过路人看到我的那朵玫瑰花,一定以为她跟你们一样。

kě shì　duì yú wǒ lái shuō　tā nà yì duǒ huār　jiù bǐ nǐ men quán
可是,对于我来说,她那一朵花儿就比你们全

tǐ jiā qi lai hái yào zhòng yào　yīn wèi tā shì
体加起来还要重要,因为她是

wǒ qīn shǒu jiāo guàn de　yīn wèi tā shì wǒ fàng
我亲手浇灌的,因为她是我放

在玻璃罩子里照
看的，因为她是我用屏风好
好儿保护起来的，还因为她身上的毛毛虫也
是我给除掉的——特意保留下来、为了变蝴蝶的两三只
毛毛虫不算在内——因为我倾听过她絮絮叨叨的抱怨
和自我赞美，甚至倾听过她的沉默不语。这一切，都是
因为，她是我的玫瑰花。"

告别了玫瑰花园，小王子又来向狐狸告别。

"再见了，我的小狐狸。"小王子说。

"再见。"狐狸说，"我来告诉你我的秘密。其实很简
单：只有心灵才能洞察一切，最重要的东西，用眼睛是
看不见的。"

"最重要的东西，用眼睛是看不见的。"小王子重
复了一遍这句话，把它牢记在心里。

zhèng yīn wèi nǐ zài nǐ de méi guī shang huā fèi le hěn duō shí jiān   nǐ de méi

"正因为你在你的玫瑰上花费了很多时间，你的玫

guī cái biàn de rú cǐ zhòng yào

瑰才变得如此重要。"

zhèng yīn wèi wǒ zài wǒ de méi guī shang huā fèi le hěn duō shí jiān   xiǎo

"正因为我在我的玫瑰上花费了很多时间……"小

wáng zǐ yòu chóng fù le yí biàn   yě bǎ zhè jù huà jì zài xīn li

王子又重复了一遍，也把这句话记在心里。

rén men zǎo yǐ wàng jì le zhè gè dào lǐ   hú li shuō   dàn shì   nǐ bù

"人们早已忘记了这个道理，"狐狸说，"但是，你不

yīng gāi wàng jì zhè gè dào lǐ   nǐ yào duì nǐ xùn yǎng guò de dōng xi fù zé dào dǐ

应该忘记这个道理。你要对你驯养过的东西负责到底，

nǐ yào duì nǐ de méi guī huā fù zé rèn

你要对你的玫瑰花负责任……"

wǒ yào duì wǒ de méi guī huā fù zé rèn   xiǎo wáng zǐ chóng fù zhe

"我要对我的玫瑰花负责任……"小王子重复着，

bǎ zhè jù huà jì zài xīn li

把这句话记在心里……

第十八章
dì shí bā zhāng

小王子继续在地球上游荡。

"你好啊。"小王子热情地打招呼。

"你好。"扳道工也向他问候。

"请问,你在这里做什么?"小王子问。

"我在运送旅客,"扳道工说,"我把运送旅客的列车发往世界各地,一会儿向东,一会儿向西。"

这时候,从东边,一列灯火通明的火车风驰电掣地开过来,雷

118

míng bān de hǒu jiào shēng bǎ bān dào fáng zhèn de yáo yáo huàng huàng
鸣般的吼叫声把扳道房震得摇摇晃晃。

tā men zhè yàng jí cōng cōng de xiǎo wáng zǐ shuō yào qù zuò shén me
"他们这样急匆匆的,"小王子说,"要去做什么?"

zhè gè ma lián kāi huǒ chē de rén yě bù zhī dào bān dào gōng shuō
"这个嘛,连开火车的人也不知道。"扳道工说。

jǐn jiē zhe cóng xī bian dì èr liè dēng huǒ tōng míng de huǒ chē fēng chí diàn chè
紧接着,从西边,第二列灯火通明的火车风驰电掣

de kāi le guo lai yòu shì yí zhèn léi míng bān de hǒu jiào shēng
地开了过来,又是一阵雷鸣般的吼叫声。

tā men zěn me zhè me kuài jiù huí lái le ne xiǎo wáng zǐ wèn
"他们怎么这么快就回来了呢?"小王子问。

zhè bú shì gāng cái nà xiē rén yě bú shì gāng cái nà liè huǒ chē bān dào
"这不是刚才那些人,也不是刚才那列火车。"扳道

gōng shuō
工 说。

suǒ yǒu zhè xiē rén dōu bù mǎn yì tā men yuán lái jū zhù de dì fang ma
"所有这些人都不满意他们原来居住的地方吗?"

rén a cóng lái yě bú huì mǎn yì zì jǐ jū zhù de dì fang bān dào
"人啊,从来也不会满意自己居住的地方。"扳道

gōng shuō
工 说。

这时候，第三列灯火通明的火车又轰隆隆地开过去。

"他们是在追赶前面那批旅客吗？"小王子问。

"他们谁也不追赶。"扳道工说，"他们在火车里面睡觉，或是打哈欠。只有小孩子才把鼻子贴在车厢的玻璃窗上往外看。"

"唉，只有孩子才知道他们要去做什么。"小王子说，"孩子们花好多的时间玩儿一个布娃娃，这个布娃娃就成了非常重要的东西，如果有人夺走了布娃娃，他们就会哭闹起来……"

"做个小孩儿可真好。"扳道工说。

小王子继续在地球上游荡。

"你好。"小王子跟一个商人打招呼。

"你好。"商人回答。

这是一位卖消渴丸的商人,据说这种药丸非常神奇,每周服用一颗药丸,人就不会再感觉口渴了。

"你为什么卖这种药丸?"小王子问。

"这种药丸为我们节约了大量的时间。"商人说,"根据专家计算,吃了我的消渴丸,每周可以节约的时间是五十三分钟。"

"节约出来的五十三分钟,干什么用呢?"

"随便干什么都可以!"

小王子自言自语地说:"如果是我,我有五十三分钟的时间,我就会悠然自得地朝一汪清泉走过去……"

第十九章

这是我的飞机在沙漠上出事故后的第八天。我听着小王子讲述这个商人的故事，喝完了我储存的最后一滴水。

"啊！哈哈！"我对小王子说，"你讲的故事实在是太有意思了！可是现在，我的飞机还没有修好，而我的水已经喝完了。假如我能悠然自得地朝着一汪清泉走过去，我该多么高兴啊！"

小王子对我说："我的朋友，那只狐狸……"

"我的小家伙，现在可不是讲狐狸的故事的时候！"

"为什么呀？"

"因为这里有人快要渴死了。"

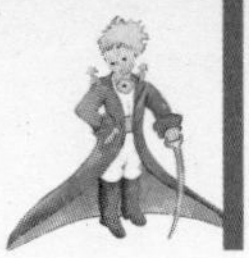

xiǎo wáng zǐ méi yǒu nòng dǒng wǒ de yì si tā huí dá wǒ shuō
小王子没有弄懂我的意思，他回答我说：

jí shǐ shì mǎ shàng jiù yào sǐ le yǒu guò yí gè péng you yě shì fēi cháng
“即使是马上就要死了，有过一个朋友也是非常
zhòng yào de wǒ wèi zì jǐ yǒu guò yí gè hú li péng you ér gǎn dào gāo xìng
重要的！我为自己有过一个狐狸朋友而感到高兴……”

tā xiǎng xiàng bù chū wǒ suǒ chǔ de wēi xiǎn jìng dì wǒ xīn li xiǎng yīn
“他想象不出我所处的危险境地。”我心里想，“因
wèi tā cóng lái bù zhī dào jī è hé kǒu kě tā bù xū yào shí wù hé shuǐ zhǐ yào yǒu
为他从来不知道饥饿和口渴，他不需要食物和水，只要有
yì diǎnr yáng guāng jiù zú gòu le
一点儿阳光就足够了……”

kě shì tā níng shì zhe wǒ fǎng fú kàn chuān le wǒ de xīn si
可是，他凝视着我，仿佛看穿了我的心思：

gāng hǎo wǒ yě kě le wǒ men yì qǐ qù zhǎo yì kǒu jǐng ba
“刚好，我也渴了……我们一起去找一口井吧……”

zhǎo shuǐ jǐng kāi wán xiào ba zài máng máng de dà shā mò li qù zhǎo shuǐ
找水井？开玩笑吧？在茫茫的大沙漠里去找水
jǐng zhè shì bu shì tài huāng táng le rán ér bù guǎn wǒ yǒu duō me jué wàng wǒ
井，这是不是太荒唐了？然而，不管我有多么绝望，我
men hái shi bào zhe yì sī xī wàng qù xún zhǎo shuǐ jǐng
们还是抱着一丝希望去寻找水井。

wǒ men yì qǐ mò mò de zǒu le hǎo jǐ gè xiǎo shí tiān hēi le xia lai mǎn tiān
我们一起默默地走了好几个小时，天黑了下来，满天
de xīng xing kāi shǐ fā guāng shǎn shuò yóu yú quē shuǐ kǒu kě wǒ yǒu diǎn fā shāo yǎng
的星星开始发光闪烁。由于缺水口渴，我有点发烧，仰
wàng xīng kōng yǒu yì zhǒng hǎo xiàng zài zuò mèng de gǎn jué shén qíng huǎng hū zhī zhōng
望星空，有一种好像在做梦的感觉。神情恍惚之中，
xiǎo wáng zǐ de huà cóng wǒ de nǎo hǎi li tiào le chu lai
小王子的话从我的脑海里跳了出来。

nǐ shuō nǐ yě kǒu kě ma wǒ wèn tā
“你说你也口渴吗？”我问他。

tā bù huí dá wǒ de wèn tí zhǐ shì dàn dàn de shuō
他不回答我的问题，只是淡淡地说：

"大概，水对心灵也是有许多益处的……"

我没有弄懂他的意思，可是我也没有再向他提问，因为我知道，盘问他也是没有用的。

走着走着，他累了，在地上坐了下来，我也在他身旁坐下。沉默了一会儿，他说：

"星星是美丽的，因为它上面有一朵人们看不到的花儿……"

"那当然。"我回答。然后我就默默地注视着月光下一层层的沙浪。

"沙漠是美丽的。"他又说。

沙漠确实美丽，我一直非常喜欢大沙漠。我们坐在一个沙丘上，举目四望，什么也看不见；侧耳倾听，什么也听不见。沙漠一片寂静，但是，在这一片寂静之中，却有什么东西在闪闪发光……

"使沙漠更加美丽的，"小王子说，"就是在某一个地方，藏着一口水井……"

wǒ chī le yì jīng　 tū rán míng bai le　 wèi shén me yǒu dōng xi zài shā mò li
我吃了一惊，突然明白了，为什么有东西在沙漠里
shǎn shǎn fā guāng
闪闪发光。

　　hái tí shí dài　 wǒ zhù zài yí zhuàng gǔ lǎo de fáng zi li　 jù chuán shuō　 zhè
　　孩提时代，我住在一幢古老的房子里，据传说，这
zhuàng fáng zi li mái cáng zhe yí gè bǎo bèi　 dāng rán　 cóng lái méi yǒu rén fā xiàn zhè
幢房子里埋藏着一个宝贝。当然，从来没有人发现这
gè bǎo bèi　 yě méi yǒu rén qù xún zhǎo zhè gè bǎo bèi　 dàn shì　 zhè gè bǎo bèi de
个宝贝，也没有人去寻找这个宝贝。但是，这个宝贝的
chuán shuō què shǐ zhè zhuàng fáng zi xiǎn de　 yì cháng shén mì　 zài wǒ de xīn líng shēn
传说却使这幢房子显得异常神秘。在我的心灵深
chù　 nà zhuàng fáng zi yǒng yuǎn yōng yǒu yí gè mì mì
处，那幢房子永远拥有一个秘密……

　　yú shì　 wǒ duì xiǎo wáng zǐ shuō　 shì a　 bù guǎn shì fáng zi　 xīng xing　 hái
　　于是，我对小王子说："是啊，不管是房子、星星，还
shi shā mò　 shǐ tā men měi lì de dōng xi shì wǒ men yǎn jing kàn bu jiàn de
是沙漠，使它们美丽的东西是我们眼睛看不见的！"

wǒ zhēn gāo xìng　 nǐ hé wǒ de
"我真高兴，你和我的
hú li péng you de xiǎng fǎ　 yí yàng le
狐狸朋友的想法一样了。"
xiǎo wáng zǐ shuō
小王子说。

　　shuō wán zhè huà　 xiǎo wáng zǐ shuì
　　说完这话，小王子睡
zháo le
着了。

我把小王子抱在怀里，重新上路去寻找水井。抱着小王子，我有一种说不出的激动，就好像抱着一个娇贵脆弱的宝贝。我觉得，在地球上，没有什么东西比这个宝贝更娇贵脆弱了。借着月光，我仔细端详这苍白的前额，这紧闭的双眼，还有这随风飘动的头发……我对自己说："我眼睛所看到的，只不过是外表而已。最重要的东西，用眼睛是看不见的……"

熟睡中的小王子嘴唇微微张开，嘴角露出了一丝微笑。

我心里想："这个熟睡的小王子之所以令我深深感动，是因为他是那样执著地忠实于一朵花儿。那朵玫瑰花，就好像一盏明灯的火焰在他心中闪烁、发光，一直照耀他进入梦乡。"这时候，我感觉他更加脆弱，更加需要保护，因为那明灯的火焰，有可能被一阵风吹灭……

我就这样走啊走，第二天黎明的时候，终于找到一口水井。

126

dì èr shí zhāng
第二十章

nǐ shuō nà xiē rén men　　xiǎo wáng zǐ shuō　　tā men shǐ jìn jǐ shang huǒ chē
"你说那些人们，"小王子说，"他们使劲挤上火车，

kě shì què bù zhī dào yào qù zuò shén me　　yú shì　　tā men jí de tuán tuán zhuàn lái
可是却不知道要去做什么。于是，他们急得团团转，来

huí dōu quān zi
回兜圈子……"

zhè shì wǒ men zài shuǐ jǐng biān shang xiǎo wáng zǐ tí qǐ de huà tí
这是我们在水井边上，小王子提起的话题。

fèi zhè jìn zhēn bù zhí de　　　　tā yòu shuō
"费这劲真不值得……"他又说。

wǒ men zhǎo dào de nà kǒu shuǐ jǐng　hé sā hā lā dà shā mò zhōng de qí tā shuǐ
我们找到的那口水井，和撒哈拉大沙漠中的其他水

jǐng wán quán bù yí yàng　　sā hā lā dà shā mò zhōng de shuǐ jǐng fēi cháng jiǎn lòu　zhǐ
井完全不一样。撒哈拉大沙漠中的水井非常简陋，只

shì zài shā dì shang wā gè kēng ér yǐ　　wǒ men zhǎo dào de zhè kǒu shuǐ jǐng què hé cūn
是在沙地上挖个坑而已。我们找到的这口水井却和村

zhuāng li de shuǐ jǐng yì mú yí yàng　　kě shì　　nà lǐ gēn běn jiù méi yǒu rèn hé cūn
庄里的水井一模一样。可是，那里根本就没有任何村

zhuāng wǒ hái yǐ wéi zì jǐ shì zài zuò mèng ne
庄，我还以为自己是在做梦呢。

zhēn shì qí guài ya wǒ duì xiǎo wáng zǐ shuō shuǐ jǐng shang de dōng xi dōu shì xiàn chéng de yǒu lù lu shuǐ tǒng hái yǒu jǐng shéng

“真是奇怪呀！”我对小王子说，“水井上的东西都是现成的：有辘轳、水桶，还有井绳……”

xiǎo wáng zǐ hē hē de xiào qi lai tā zhuā qǐ jǐng shéng yáo dòng lù lu yú shì lù lu jiù xiàng shì yí gè cháng nián méi yǒu fēng lái chuī dòng de jiù fēng xiàng biāo yí yàng zhī zhi yā yā xiǎng qi lai

小王子呵呵地笑起来，他抓起井绳，摇动辘轳。于是，辘轳就像是一个长年没有风来吹动的旧风向标一样，吱吱呀呀响起来。

nǐ tīng a xiǎo wáng zǐ shuō wǒ men bǎ zhè kǒu shuǐ jǐng huàn xǐng le tā zài chàng gē ne

“你听啊，”小王子说，“我们把这口水井唤醒了，它在唱歌呢……”

wǒ bù xiǎng ràng xiǎo wáng zǐ tài fèi lì qì jiù duì tā shuō

我不想让小王子太费力气，就对他说：

dǎ shuǐ zhè huó tài zhòng le ràng wǒ lái ba

“打水这活太重了，让我来吧。”

wǒ huǎn huǎn de bǎ shuǐ tǒng tí chū shuǐ miàn rán hòu xiǎo xīn yì yì de bǎ shuǐ tǒng fàng zài jǐng tái shang nà lù lu de gē shēng réng rán zài wǒ de ěr duǒ li huí xiǎng tài yáng de yǐng zi zài wēi wēi yáo dàng de shuǐ miàn shang tiào dòng

我缓缓地把水桶提出水面，然后小心翼翼地把水桶放在井台上。那辘轳的歌声仍然在我的耳朵里回响，太阳的影子在微微摇荡的水面上跳动。

zhè jiù shì wǒ xū yào de shuǐ xiǎo wáng zǐ shuō kuài gěi wǒ hē diǎn ba

“这就是我需要的水，”小王子说，“快给我喝点吧……”

zhè shí wǒ zhōng yú míng bai le xiǎo wáng zǐ xún zhǎo de dōng xi shì shén me

这时，我终于明白了小王子寻找的东西是什么！

wǒ bǎ shuǐ tǒng sòng dào tā de zuǐ biān tā bì zhe yǎn jing hē qǐ shuǐ lai hǎo xiàng shì yì zhǒng wú bǐ tián měi de xiǎng shòu zhè zhǒng shuǐ duì yú wǒ men lái shuō yǐ jīng bù zhǐ shì yì zhǒng yǐn liào tā shì wǒ men pī xīng dài yuè zǒu le lǎo yuǎn de lù

我把水桶送到他的嘴边。他闭着眼睛喝起水来，好像是一种无比甜美的享受。这种水对于我们来说，已经不只是一种饮料。它是我们披星戴月走了老远的路

cái zhǎo dào de　　 tā shì zài lù lu de gē shēng li　 jīng guò wǒ shuāng bì de nǔ lì
才找到的，它是在辘轳的歌声里，经过我双臂的努力

tí shang lai de　　 tā shì shàng tiān jǐ yǔ de wèi jiè wǒ men xīn líng de lǐ wù
提上来的，它是上天给予的慰藉我们心灵的礼物。

　　 nǐ men zhè lǐ de rén　　 xiǎo wáng zǐ shuō　　 zài tóng yí gè huā yuán li zāi
　　"你们这里的人，"小王子说，"在同一个花园里栽

zhòng zhe wǔ qiān duǒ méi gui　 kě shì　　 tā men què zhǎo bu dào zì jǐ xiǎng yào de dōng
种着五千朵玫瑰。可是，他们却找不到自己想要的东

xi
西……"

　　 tā men shì zhǎo bu dào　　 wǒ huí dá shuō
　　"他们是找不到。"我回答说。

　　 qí shí　　 tā men suǒ yào xún zhǎo de dōng xi　 wán quán kě yǐ cóng yì duǒ méi
　　"其实，他们所要寻找的东西，完全可以从一朵玫

gui huā huò yì dī shuǐ zhōng zhǎo dào de
瑰花或一滴水中找到的……"

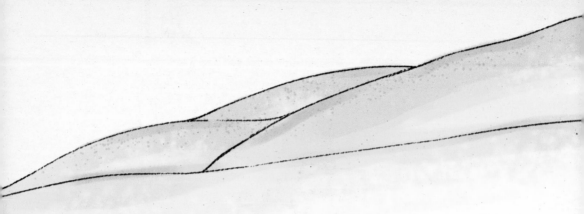

"确实如此!"我回答说。

接着,小王子又补充了一句:

"最重要的东西,用眼睛是看不见的,应该用心灵去寻找。"

我也喝了水,甜美的水使我的呼吸变得舒畅。抬眼望望沙漠,沙漠在晨曦中泛出一层金黄的色泽。这金黄那么温柔,给我一种幸福的感觉,我还有什么好忧伤的呢……

小王子重新坐在我的身边,柔声对我说:"你应该信守你的诺言。"

"什么诺言?"

"你说过……你要给我的小绵羊一个口嚼子……我要对我的玫瑰花负责任啊!"

于是，我从衣兜里拿出了我的速写本。小王子瞅见了，咯咯笑起来，说：

"你画的猴面包树，有点像卷心菜……"

"哦！"怎么这么说，我还为我画的猴面包树自豪呢！

"你画的狐狸呀……她的耳朵……咯咯，看上去像犄角似的……而且太长了！"

说完，他又咯咯地笑了。

"小家伙，你是不是太不公正了？我没学过画画儿，过去只会画合拢肚皮的以及剖开肚皮的蟒蛇。"

"哦！没关系。"他说，"只要孩子们认得出来就行了。"

于是，我用铅笔画了一个适合绵羊的口嚼子。当把画递给小王子时，我心里感到非常难过：

"你打算做什么，我一点也不知道……"

小王子没有回答我的话，他只是说：

"你知道，我在地球上降落……到明天，就整整一年了……"

沉默了一会儿，他又说：

"我就降落在离这儿不远的地方……"

说这话的时候，他的脸红红的。

听着他的话，我的心里涌上一阵心酸。这时候，我想起了一个问题：

"这么说来，八天以前，我认识你的那天早上，你独自一个人在荒无人烟的大沙漠里游荡，看来，这是有原因的。你准备回到你降落的地方去，是吗？"

小王子的脸变得更红了。

我猜测着说："大概是在做来到地球一周年的纪念吧？"

小王子的脸越来越红了，可是他并不回答我的这些问题。不过，据我推断，人们脸红的时候，就等于是在说"是的"，基本都是这个样子。

"唉！"我对他说，"我实在是担心啊……"

可是，小王子却说：

"你现在应该去工作了，你的飞机在那边等着你呢。去吧！我会在这里等你，你明天晚上再来……"

我怎么舍得离开！我想起了那只狐狸的话。如果被人驯养了，那就可能会要流眼泪的……

dì èr shí yī zhāng

第二十一章

wǒ hái méi yǒu tí dào guo   zài wǒ men de jǐng tái páng biān   yǒu yí duàn yǐ jīng
我还没有提到过，在我们的井台旁边，有一段已经

tān tā le de shí qiáng   dì èr tiān wǎn shang   wǒ cóng fēi jī nà lǐ huí lái de shí
坍塌了的石墙。第二天晚上，我从飞机那里回来的时

hou   yuǎn yuǎn de jiù kàn jiàn xiǎo wáng zǐ dā la zhe shuāng tuǐ zuò zài shí qiáng shang   wǒ
候，远远地就看见小王子耷拉着 双 腿坐在石墙 上。我

hái tīng jiàn xiǎo wáng zǐ zài shuō huà
还听见小王子在说话：

nǐ zěn me xiǎng bu qǐ lái le   tā shuō   jué duì bú shì zài zhè lǐ
"你怎么想不起来了？"他说，"绝对不是在这里。"

dà gài yǒu lìng yí gè shēng yīn zài huí dá tā   kě shì wǒ tīng bu jiàn   wǒ zhǐ
大概有另一个声音在回答他，可是我听不见，我只

tīng dào xiǎo wáng zǐ huí yìng de huà
听到小王子回应的话：

duì ya   duì ya   rì zi shì duì de   dàn shì dì diǎn bú zài zhè lǐ
"对呀，对呀！日子是对的，但是地点不在这里……"

wǒ jì xù cháo qiáng zǒu guo qu　lí xiǎo wáng zǐ yuè lái yuè jìn　kě shì wǒ réng
我继续朝 墙走过去，离小 王子越来越近，可是我仍

rán kàn bu dào rèn hé rén　yě tīng bu jiàn rèn hé rén de shēng yīn　zhǐ shì tīng dào xiǎo
然看不到任何人，也听不见任何人的声音。只是听到小

wáng zǐ de huí dá
王子的回答：

nà dāng rán le　nǐ kě yǐ zài shā dì shang zhǎo dào wǒ de jiǎo yìn
"……那当然了。你可以在沙地上 找到我的脚印

shì cóng nǎ lǐ kāi shǐ de　nǐ zài nà lǐ děng zhe wǒ jiù kě yǐ le　jīn tiān yè
是从哪里开始的。你在那里等着我就可以了。今天夜

li wǒ jiù dào nà lǐ qu
里我就到那里去。"

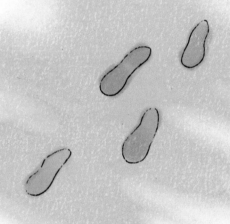

wǒ zǒu dào lí shí qiáng dà yuē èr shí mǐ de dì fang　kě shì réng rán kàn bu dào
我走到离石墙大约二十米的地方，可是仍然看不到

xiǎo wáng zǐ zài hé shéi shuō huà
小 王子在和谁说话。

duǎn zàn de chén mò zhī hòu　xiǎo wáng zǐ jiē zhe shuō
短暂的沉默之后，小 王子接着说：

nǐ de dú yè hěn lì hài ma　nǐ gǎn kěn dìng nǐ bú huì shǐ wǒ tòng kǔ hǎo
"你的毒液很厉害吗？你敢肯定，你不会使我痛苦好

cháng shí jiān ma
长时间吗？"

zhè shì zěn me huí shì   fā shēng shén me shì le   wǒ shí fēn jiāo lǜ de gǎn
这是怎么回事？发生什么事了？我十分焦虑地赶
shang qu
上去。

xiàn zài nǐ qù ba   xiǎo wáng zǐ shuō   wǒ yào tiào xia qu le   jiù
"现在你去吧，"小王子说，"我要跳下去了！"

zhè shí   wǒ bǎ mù guāng yí dào qiáng jiǎo xia   dùn shí bèi xià le yí tiào   jiù
这时，我把目光移到墙脚下，顿时被吓了一跳。就
zài nà lǐ   yǒu yì tiáo jīn huáng sè de shé   tā zhèng cháo xiǎo wáng zǐ gāo gāo de tǐng
在那里，有一条金黄色的蛇，它正朝小王子高高地挺
qǐ shēn zi   zhè zhǒng jīn huáng sè de dú shé sān shí miǎo zhōng jiù néng jié shù yí gè
起身子。这种金黄色的毒蛇三十秒钟就能结束一个
dà rén de xìng mìng
大人的性命。

wǒ yì biān cóng yī dōu li tāo chū shǒu qiāng   yì biān fēi kuài de pǎo guo qu   tīng
我一边从衣兜里掏出手枪，一边飞快地跑过去。听
dào wǒ de jiǎo bù shēng   nà tiáo shé jiù xiàng yí gè tū rán tíng zhǐ pēn shuǐ de pēn quán
到我的脚步声，那条蛇就像一个突然停止喷水的喷泉，
zhuǎn yǎn jiān zuān jìn shā dì li   rán hòu bù huāng bù máng de zài shí tou de fèng xì zhōng
转眼间钻进沙地里，然后不慌不忙地在石头的缝隙中
zuān lái zuān qù   fā chū yì zhǒng jīn shǔ pèng zhuàng de shēng yīn
钻来钻去，发出一种金属碰撞的声音。

wǒ pǎo dào qiáng biān   yí xià bǎ wǒ de xiǎo wáng zǐ lǎn zài huái li   zhè shí
我跑到墙边，一下把我的小王子揽在怀里。这时

候，小王子的脸像雪一样惨白。

"这是怎么回事？你怎么竟然和蛇聊天？你不知道毒蛇很危险吗？"

我帮他解开一直戴在脖子上的金黄色围巾，再用水擦拭他的太阳穴，然后让他喝了点儿水。做这些的时候，我不敢再问他什么问题。

他一直严肃地看着我，用两只胳膊搂着我的脖子。我能感觉到他的心脏跳动，那微弱的跳动就像一只被猎枪击中而濒临死亡的鸟。

他对我说：

"我很高兴，你终于修理好了你的飞机，不久，你就可以回家去了……"

"你是怎么知道的？"

我就是想来告诉他这个消息，在几乎要绝望的时候，我出乎意料地完成了飞机的修理工作。

他不回答我的问题，只管接着说：

"我也一样，今天，我就要回家去了……"

紧接着，他忧郁地说：

"我回家的路，比你要远得多……也难得多……"

我感觉得出，一定会发生什么不寻常的事情。就像抱小孩子那样，我把小王子紧紧抱在怀里，可是，我却感觉到，他从我的怀里一直朝下坠落，坠下一个万丈深渊，我想拉住他，却怎么也办不到……

他神情严肃，眼望着遥远的地方。

"我有你画的绵羊，你为绵羊准备的箱子，还有绵羊的口嚼子……"

小王子忧郁地笑了一下。

过了好长时间，我怀里的小王子才渐渐暖和起来。

"小家伙，你刚才受惊了吧？"

我想，他肯定是受惊了，可是，他却温柔地笑了，说：

"今天晚上，我才有更多的担惊受怕呢……"

分别大概是不可避免的事情了，分离的痛苦使我的心一下子就冰凉

le　　yě xǔ　　wǒ zài yě tīng
了。也许，我再也听

bu dào tā de xiào shēng le
不到他的笑声了，

zhè xiào shēng duì wǒ lái shuō
这笑声对我来说，

jiù hǎo xiàng shì shā mò zhōng
就好像是沙漠中

de qīng quán yí yàng
的清泉一样。

xiǎo jiā huo　　 wǒ hái xiǎng
"小家伙，我还想

tīng nǐ xiào a
听你笑啊……"

tā bù dā li wǒ　　 zhǐ shì shuō
他不答理我，只是说：

dào jīn tiān yè li　 zhèng hǎo shì yì nián　 wǒ de xīng qiú zhèng hǎo chǔ zài wǒ
"到今天夜里，正好是一年。我的星球正好处在我

qù nián jiàng luò nà gè dì fang de shàng kōng
去年降落那个地方的上空……"

xiǎo jiā huo　 nà tiáo shé ya　　 yuē dìng de shí jiān ya　　hái yǒu nǐ de xīng qiú
"小家伙，那条蛇呀，约定的时间呀，还有你的星球，

zhè xiē quán dōu shì yì chǎng è mèng ba
这些全都是一场噩梦吧？"

tā bìng bù huí dá wǒ de wèn tí　　jì xù duì wǒ shuō
他并不回答我的问题，继续对我说：

zuì zhòng yào de dōng xi　 yòng yǎn jing shì kàn bu jiàn de
"最重要的东西，用眼睛是看不见的……"

shì a
"是啊……"

jiù xiàng wǒ men zǒng shì tí qǐ de huār　　 rú guǒ nǐ xǐ huan shàng le yì
"就像我们总是提起的花儿。如果你喜欢上了一

duǒ shēng zhǎng zài lìng yì kē xīng qiú shang de huār　　 dào le wǎn shang　 nǐ yǎng wàng
朵生长在另一颗星球上的花儿，到了晚上，你仰望

星空，心里就会充满甜蜜，好像所有的星球上都开了鲜花。"

"是啊……"

"这也就像你给我喝过的水。有了辘轳和井绳的伴奏，那井水就像音乐一样美妙……你还记得吗？……水多好喝啊……"

"我记得。"

"到了晚上，你抬起头仰望星空。我的那颗星太小了，小到我无法给你指出它在哪里。不过，这样也好。我的星星就在那许多许多的星星当中，这样，你就会喜欢看所有的星星……所有的星星都会成为你的好朋友。另外，我还要送给你一件礼物……"

说到这儿，小王子又咯咯地笑了。

"呵呵！小家伙呀，小家伙，我就喜欢听你这笑声！"

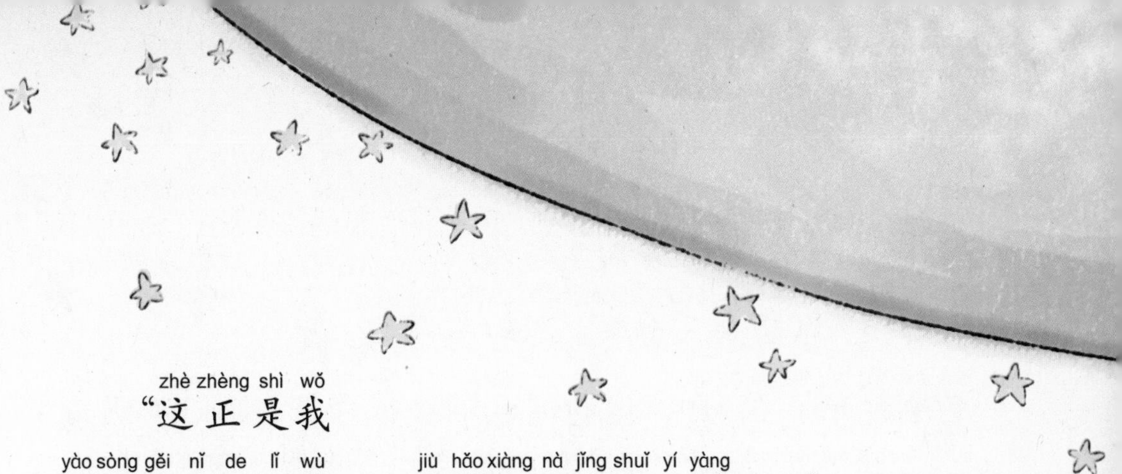

zhè zhèng shì wǒ
“这正是我

yào sòng gěi nǐ de lǐ wù jiù hǎo xiàng nà jǐng shuǐ yí yàng
要送给你的礼物……就好像那井水一样……”

jǐng shuǐ wǒ bù míng bai nǐ de yì si
“井水……我不明白你的意思。”

zài rén men yǎn li xīng xing bìng bù quán dōu yí yàng duì yí gè lǚ xíng zhě
“在人们眼里，星星并不全都一样。对一个旅行者

lái shuō xīng xing jiù shì xiàng dǎo duì pǔ tōng rén lái shuō xīng xing zhǐ shì yì xiē xiǎo
来说，星星就是向导。对普通人来说，星星只是一些小

liàng diǎn xué zhě bǎ xīng xing dàng zuò tā men yán jiū de duì xiàng wǒ yù dào de nà
亮点。学者把星星当做他们研究的对象。我遇到的那

gè shāng rén bǎ xīng xing dàng zuò jīn qián bù guǎn zěn me yàng xīng xing men dōu chén mò
个商人把星星当做金钱。不管怎么样，星星们都沉默

bù yǔ nǐ ne nǐ jiāng yōng yǒu rèn hé rén dōu bù céng yōng yǒu de xīng xing
不语。你呢，你将拥有任何人都不曾拥有的星星……”

nǐ de yì si shì
“你的意思是……”

nǐ yǎng wàng xīng kōng de shí hou nǐ huì kàn dào suǒ yǒu de xīng xing dōu zài duì
“你仰望星空的时候，你会看到所有的星星都在对

zhe nǐ xiào yīn wèi wǒ zhù zài qí zhōng yì kē xīng xing shang yīn wèi wǒ zài qí zhōng
着你笑。因为我住在其中一颗星星上，因为我在其中

yì kē xīng xing shang duì nǐ xiào nà me duì nǐ lái shuō suǒ yǒu de xīng xing hǎo xiàng dōu
一颗星星上对你笑，那么对你来说，所有的星星好像都

zài duì zhe nǐ xiào
在对着你笑。”

shuō dào zhèr xiǎo wáng zǐ yòu gē gē de xiào ge bù tíng
说到这儿，小王子又咯咯地笑个不停。

huì xiào de xīng xing gěi le nǐ ān wèi rén lèi zǒng shì xū yào xún zhǎo ān
“会笑的星星给了你安慰——人类总是需要寻找安

wèi nà me nǐ jiù huì hěn gāo xìng jié shí wǒ nǐ jiù huì yì zhí zuò wǒ de péng
慰——那么，你就会很高兴结识我，你就会一直做我的朋

友，你也就会想要跟我一起笑。

有时候，你想要笑一笑，不知不

觉地打开了窗户。你的朋友们会很奇怪，他们不明白

你为什么会对着天空大笑。那时，你就对他们说：'是

啊，是啊！星星总是使我笑口常开！'他们以为你发疯

了……我的这个小把戏不会使你难为情吧……"

说着，他又咯咯咯咯地笑了。

"这么说来，我送给你的并不是星星，而是一大堆会

笑出声的小铃铛……"

他笑着，笑着，突然收起笑容，变得严肃起来：

"今天夜里……知道

吗……你不要来送行。"

"我绝不会离开你。"

"到时候，我的样子痛

苦……有点像是要死去

了……就是那么回事，你

不要来看这些了。"

"我绝不会离开你。"

说到这儿，小王子担心起来。

"我不让你来……也是因为那条蛇。你知道，毒蛇是很坏的，他们总是随便咬人……别让他咬着你……"

"我绝不会离开你。"

忽然，他似乎不那么担心了：

"对了，我想起来了，毒蛇咬第二口的时候就没有毒液了……"

这天夜里，小王子启程时我没能察觉，他是悄无声息地走的。当我发现之后，立即去追赶他，当我终于赶上他的时候，他正迈着坚定而果断的步伐大踏步走着。发现我以后，他只是淡淡地说：

"你怎么来了……"

143

tā lā qǐ wǒ de shǒu jì xù cháo qián zǒu yì biān zǒu yì biān shuō
他拉起我的手继续朝前走。一边走一边说：

nǐ bù gāi lái de nǐ kàn le huì nán shòu de wǒ jiù xiàng shì sǐ qù de
“你不该来的，你看了会难受的。我就像是死去的
yàng zi dàn zhè bú huì shì zhēn de
样子，但这不会是真的……”

wǒ zhǐ yǒu mò bú zuò shēng
我只有默不作声。

nǐ zhī dào lù tú tài yáo yuǎn le wǒ bù néng dài zhe zhè fù shēn qū huí
“你知道，路途太遥远了，我不能带着这副身躯回
jiā tā tài zhòng le
家，它太重了。”

wǒ yī rán mò bú zuò shēng
我依然默不作声。

jiù xiàng yì zhī chán yào tuì diào tā de kér wǒ de qū ké jiù xiàng yí
“就像一只蝉要蜕掉他的壳儿，我的躯壳就像一
gè chán tuì nà yàng tǎng zài nàr rén shì bú huì wèi yí gè chán tuì shāng xīn
个蝉蜕那样躺在那儿……人是不会为一个蝉蜕伤心
de
的……”

wǒ hái shi mò bú zuò shēng
我还是默不作声。

tā yǒu xiē qì něi dàn shì yòu zhèn zuò jīng shén shuō
他有些气馁，但是又振作精神说：

nǐ zhī dào zhè shì měi hǎo de shì qing wǒ tǎng zài nà lǐ xīn shǎng mǎn tiān
“你知道，这是美好的事情。我躺在那里欣赏满天
de xīng xing měi kē xīng xing shàng miàn dōu yǒu yòng shēng le xiù de tiě lù lu tí shuǐ de
的星星，每颗星星上面都有用生了锈的铁辘轳提水的
jǐng měi kē xīng xing dōu dào shuǐ gěi wǒ hē
井，每颗星星都倒水给我喝……”

wǒ zhǐ néng mò bú zuò shēng
我只能默不作声。

zhè duō yǒu qù a nǐ jiāng yōng yǒu wǔ yì gè xiǎo líng dang ér wǒ jiāng yōng
“这多有趣啊！你将拥有五亿个小铃铛，而我，将拥
yǒu wǔ yì kǒu shuǐ jǐng
有五亿口水井……”

接下来，他也不说话了，因为他流泪了。

"就是这里了。让我自己走完最后这一步吧。"

说完这话，他坐了下来，因为他心里有点害怕了。可是，他却仍然说：

"你知道……我的玫瑰花……我要对她负责任！她是那么柔弱，又是那么天真！她只有四枚小小的刺，用来保护自己，抵抗敌人……"

我也坐了下来，因为我实在站立不住了。他说：

"就是这些了……全都告诉你了……"

他犹豫了一下，然后站起身来，往前迈了一步。而

wǒ què yí dòng yě bù néng dòng
我却一动也不能动。

jiù zài tā de jiǎo huái nà lǐ　　yí dào huáng guāng shǎn le yí xià　chà nà jiān
就在他的脚踝那里，一道黄光闪了一下。刹那间，

tā dāi dāi de zhàn lì zài nà lǐ　　yí dòng yě bú dòng　 tā méi yǒu jiào hǎn　rán hòu
他呆呆地站立在那里，一动也不动。他没有叫喊，然后

jiù xiàng yì kē shù yí yàng　màn màn de dǎo le xià qù　dǎo zài shā dì shang　yì diǎn
就像一棵树一样，慢慢地倒了下去，倒在沙地上，一点

shēng yīn yě méi yǒu
声音也没有。

146

第二十二章

dì èr shí èr zhāng

事情已经过去六年了，六年中，我从来没有对人讲
起这个故事。当我驾驶着修理好的飞机返回故乡的时
候，同伴们见到我，都为我能活着回来而高兴。可是我却
很伤心，当时我跟同伴们解释："这大概是疲劳过度的缘
故……"

其实，我已经稍稍得到了安慰，尽管这安慰不是完
全的。我知道，小王子已经回到了他的星球上。因为那
天黎明，我没有在沙漠上找
到他的躯体。从此以后，我就
喜欢在夜里倾听星星的笑声，
好像五亿个小铃铛在叮当作
响……

本来事情还算顺利，可是现在，突然发生了一件非同小可的事情。因为我猛然想起来，我给小王子画绵羊口嚼子的时候，忘了画上皮绳儿！没有皮绳儿，小王子怎么把这个口嚼子戴在绵羊的嘴上呢？于是，我开始瞎琢磨："小王子的星球上会发生什么事呢？绵羊会不会把玫瑰花吃掉呢？"

有时候，我也这样劝自己："绝对不会吃掉的！小王子每天夜里都会用玻璃罩子罩住他的玫瑰，而且也会把他的绵羊看管好……"想到这里，我高兴起来，天上所有的星星都在甜蜜地笑。

过了一会儿，我又想："人总是难免有疏忽的时候，偶尔一次疏忽就非常要命！如果某一天晚上，小王子忘了玻璃罩子，或者他的小绵羊夜里悄悄溜出来，那株玫瑰花……"想到这里，满天的小铃铛都变成泪珠子！

这里隐藏着一个巨大的谜

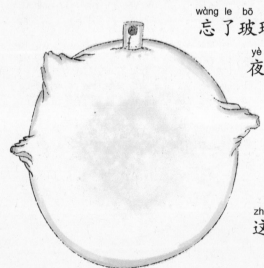

^{tuán}团。^{duì nǐ men zhè xiē xiàng wǒ yí yàng xǐ huan xiǎo wáng zǐ de rén lái shuō shì jiè}对你们这些像我一样喜欢小王子的人来说，世界

^{shang méi yǒu shén me dōng xi shì yì chéng bú biàn de xiǎng yi xiǎng ba zài zhè gè yǔ}上没有什么东西是一成不变的。想一想吧，在这个宇

^{zhòu de shén me dì fang yǒu yì zhī wǒ men bìng bú rèn shi de xiǎo miányáng tā chī diào}宙的什么地方，有一只我们并不认识的小绵羊，他吃掉

^{le yì zhū méi gui huā huò zhě tā méi yǒu chī diào yì zhū méi gui huā nà me duì zhěng}了一株玫瑰花，或者他没有吃掉一株玫瑰花，那么对整

^{gè yǔ zhòu lái shuō biàn huà shì quán rán bù tóng de}个宇宙来说，变化是全然不同的。

^{nǐ men yǎng wàng xīng kōng zǐ xì níng wàng nà xiē xīng xing nǐ men huì wèn mián}你们仰望星空，仔细凝望那些星星，你们会问：绵

^{yáng jiū jìng shì chī diào le hái shi méi yǒu chī diào nà zhū méi gui huā zhè gè shì jiè huì}羊究竟是吃掉了还是没有吃掉那株玫瑰花？这个世界会

^{bu huì fā shēng biàn huà}不会发生变化……

^{rèn hé yí gè dà rén yǒng yuǎn dōu bú huì míng bai zhè gè wèn tí yǒu duō me}任何一个大人，永远都不会明白，这个问题有多么

^{zhòng yào}重要！

^{duì wǒ lái shuō zhè gè huà miàn shì shì jiè shang zuì měi hǎo de huà miàn yě shì}对我来说，这个画面是世界上最美好的画面，也是

^{zuì qī liáng de huà miàn jiù shì zài zhè lǐ yí gè xiǎo wáng zǐ tū rán chū xiàn zài}最凄凉的画面。就是在这里，一个小王子，突然出现在

^{dì qiú shang yòu tū rán xiāo shī le}地球上，又突然消失了。

请你们仔细看清楚这个地方,如果将来有一天,你们去非洲沙漠旅行,希望你们能够准确地辨认出这个地方。如果,你们真的经过这个地方,我请求你们不要匆匆而过,请你们站在那颗星星底下等一等!如果这时候,有个小孩儿向你走来,如果他咯咯地笑,如果他有一头金黄的头发,如果你向他提问而他不回答你,那么,你一定会猜得出他是谁。

请你帮个忙吧,不要让我继续忧伤下去。请你赶快给我写封信,告诉我小王子又回来了……